COLLECTION FOLIO

David Foenkinos

Le mystère Henri Pick

Gallimard

David Foenkinos est l'auteur de plusieurs romans dont *Le potentiel érotique de ma femme*, *Nos séparations*, *Les souvenirs* et *Je vais mieux*. *La délicatesse*, paru en 2009, a obtenu dix prix littéraires. En 2011, David Foenkinos et son frère Stéphane l'ont adapté au cinéma, avec Audrey Tautou et François Damiens. Ils ont également réalisé le film *Jalouse*, avec Karin Viard. En 2014, *Charlotte* a été couronné par les prix Renaudot et Goncourt des lycéens. Les romans de David Foenkinos sont traduits en plus de quarante langues.

« Cette bibliothèque est dangereuse. »

ERNST CASSIRER,
à propos de la bibliothèque Warburg.

PREMIÈRE PARTIE

1

En 1971, l'écrivain américain Richard Brautigan a publié *L'Avortement*[1]. Il s'agit d'une intrigue amoureuse assez particulière entre un bibliothécaire et une jeune femme au corps spectaculaire. Un corps dont elle est victime en quelque sorte, comme s'il existait une malédiction de la beauté. Vida, tel est le prénom de l'héroïne, raconte qu'un homme s'est tué au volant à cause d'elle ; subjugué par cette passante inouïe, le conducteur a tout simplement oublié la route. Après le crash, la jeune femme s'est précipitée vers la voiture. Le conducteur en sang, agonisant, a juste eu le temps de lui dire avant de mourir : « Ce que vous êtes belle, mademoiselle. »

1. Un roman dont le sous-titre est : « Une histoire romanesque en 1966 ».

À vrai dire, l'histoire de Vida nous intéresse moins que celle du bibliothécaire. Car il s'agit là de la particularité de ce roman. Le héros est employé dans une bibliothèque qui accepte tous les livres refusés par les éditeurs. On y croise par exemple un homme venu déposer un manuscrit après avoir essuyé plus de quatre cents refus. Ainsi, s'accumulent sous l'œil du narrateur des livres en tout genre. On peut aussi bien y dénicher un essai comme *La Culture des fleurs à la lueur des bougies dans une chambre d'hôtel* qu'un livre de cuisine évoquant toutes les recettes des plats recensés dans les romans de Dostoïevski. Un bel avantage de cette structure : c'est l'auteur qui choisit son emplacement sur les étagères. Il peut errer entre les pages de ses confrères maudits avant de trouver sa place dans cette forme d'anti-postérité. En revanche, aucun manuscrit envoyé par la poste n'est accepté. Il faut venir soi-même déposer l'œuvre que personne n'a voulue, comme si cet acte symbolisait l'ultime volonté d'un abandon définitif.

Quelques années plus tard, en 1984, l'auteur de *L'Avortement* a mis fin à ses jours à Bolinas, en Californie. Nous reparlerons de la vie de Brautigan et des circonstances qui l'ont mené au suicide, mais pour l'instant restons sur cette bibliothèque née de son imaginaire. Au tout début des années 1990, son idée s'est concrétisée. En hommage, un lecteur passionné a créé la « bibliothèque des livres refusés ». C'est ainsi que la Brautigan Library, qui accueille les livres orphelins d'éditeur, a vu le jour aux États-Unis. On la trouve à Vancouver, dans l'État de Washington[1]. L'initiative de son fan aurait sûrement ému Brautigan, mais connaît-on jamais vraiment les sentiments d'un mort ? Lors de la création de la bibliothèque, l'information fut relayée par de nombreux journaux, et on en parla aussi en France. Le bibliothécaire de Crozon, en Bretagne, eut envie de faire exactement la même chose. En octobre 1992, il créa ainsi la version française de la bibliothèque des refusés.

2

Jean-Pierre Gourvec était fier de la petite pancarte qu'on pouvait lire à l'entrée de sa bibliothèque. Un aphorisme de Cioran, ironique pour un homme qui n'avait pratiquement jamais quitté sa Bretagne :

« Paris est l'endroit idéal pour rater sa vie. »

Il était de ces hommes qui préfèrent leur région à leur patrie, sans pour autant que cela fasse d'eux des excités nationalistes. Son apparence pouvait

1. Sur Internet, on trouve facilement des informations concernant les activités de cette bibliothèque, en allant sur le site : www.thebrautiganlibrary.org

laisser présager le contraire : tout en longueur et sécheresse, avec des veines gonflées qui lui striaient le cou et une pigmentation rougeâtre prononcée, on imaginait immédiatement qu'il présentait la géographie physique d'un tempérament colérique. Loin de là. Gourvec était un être réfléchi et sage, pour qui les mots avaient un sens et une destination. Il suffisait de passer quelques minutes en sa compagnie pour dépasser le stade de la première et fausse impression ; cet homme offrait le sentiment d'être capable de se ranger en lui-même.

C'est donc lui qui modifia l'agencement de ses étagères pour laisser une place, au fond de la bibliothèque municipale, à tous les manuscrits rêvant d'un refuge. Une agitation qui lui remémora cette phrase de Jorge Luis Borges : « Prendre un livre dans une bibliothèque et le remettre, c'est fatiguer les rayonnages. » Ils ont dû être épuisés aujourd'hui, pensa Gourvec en souriant. C'était un humour d'érudit, et plus encore : d'érudit solitaire. C'est ainsi qu'il se voyait, et c'était assez proche de la vérité. Gourvec était pourvu d'une dose minimale de sociabilité, il ne riait pas souvent des mêmes choses que les habitants du coin, mais savait se forcer à l'écoute d'une blague. Il allait même de temps à autre boire une bière au bistrot du bout de la rue, bavarder de tout et de rien avec d'autres hommes, bavarder surtout de rien, pensait-il, et dans ces grands moments d'excitation collective il était capable d'accepter une partie de cartes. Cela ne le dérangeait pas qu'on puisse le prendre pour un homme comme les autres.

On connaissait assez peu de choses sur sa vie, si ce n'est qu'il vivait seul. Il avait été marié dans les années 1950, mais personne ne savait pourquoi sa femme l'avait quitté après seulement quelques semaines. On disait qu'il l'avait rencontrée par petite annonce : ils avaient correspondu longtemps avant de se découvrir. Était-ce la raison de l'échec de leur couple ? Gourvec était peut-être le genre d'homme dont on aimait lire les déclarations enflammées, pour qui l'on était capable de tout quitter, mais derrière la beauté des mots la réalité était forcément décevante. D'autres mauvaises langues avaient murmuré à l'époque que c'était son impuissance qui avait conduit sa femme à repartir si vite. Théorie dont la justesse paraît peu probable, mais quand la psychologie est complexe on aime se reposer sur du basique. Le mystère demeurait donc entier quant à cet épisode sentimental.

Après le départ de sa femme, on ne lui avait pas connu de relation durable, et il n'avait pas eu d'enfants. Difficile de savoir quelle avait été sa vie sexuelle. On pouvait l'imaginer en amant de femmes délaissées, avec les Emma Bovary de son temps. Certaines avaient dû chercher entre les rayonnages davantage que la satisfaction d'une rêverie romanesque. Auprès de cet homme qui savait écouter, puisqu'il savait lire, on pouvait s'évader d'une vie mécanique. Mais il n'existe aucune preuve de cela. Une chose est certaine : l'enthousiasme et la passion de Gourvec pour sa bibliothèque n'ont jamais faibli. Il recevait avec une attention particulière chaque lecteur, s'efforçant d'être à l'écoute pour créer un chemin personnel à travers les livres proposés. Selon lui, la question n'était pas d'aimer ou de ne pas aimer lire, mais plutôt de savoir comment trouver le livre qui vous correspond. Chacun peut adorer la lecture, à condition d'avoir en main le bon roman, celui qui vous plaira, qui vous parlera, et dont on ne pourra pas se défaire. Pour atteindre cet objectif, il avait ainsi développé une méthode qui pouvait presque paraître paranormale : en détaillant l'apparence physique d'un lecteur, il était capable d'en déduire l'auteur qu'il lui fallait.

L'énergie incessante qu'il mettait à rendre dynamique sa bibliothèque le contraignit à l'agrandir. Ce fut une immense victoire à ses yeux, comme si les livres formaient une armée de plus en plus chétive, dont chaque point de résistance contre une disparition programmée prenait la saveur d'une intense révolution. La mairie de Crozon alla jusqu'à accepter l'embauche d'une assistante. Il passa donc une annonce pour le recrutement. Gourvec aimait choisir les livres à commander, organiser les rayonnages et quantité d'autres activités, mais l'idée de prendre une décision concernant *un être humain* le terrorisait. Pourtant, il rêvait de trouver une personne qui serait comme un complice littéraire : une personne avec qui il pourrait échanger pendant des heures sur l'utilisation des points de suspension dans l'œuvre de Céline ou ergoter sur les raisons du suicide de Thomas Bernhard. Un seul obstacle à cette ambition : il savait très bien qu'il serait incapable de dire non à quiconque. Alors les choses seraient simples. La personne engagée serait celle qui se présenterait la première. C'est ainsi que Magali Croze intégra la bibliothèque, armée de cette qualité indéniable : la rapidité à répondre à une offre d'emploi.

3

Magali n'aimait pas particulièrement lire[1] mais, étant mère de deux garçons en bas âge, il lui fallait trouver du travail rapidement. Surtout que son mari ne possédait qu'un emploi à mi-temps au garage Renault. On construisait de moins en moins de voitures en France, la crise s'installait durablement en ce début des années 1990. Au moment de signer son contrat, Magali pensa aux mains de son mari ; à ses mains toujours pleines de cambouis. En manipulant des livres à longueur de journée, voilà un désagrément qui ne risquerait pas de lui arriver. Ce serait une différence fondamentale ; du

1. Quand il posa les yeux sur elle la première fois, Gourvec pensa aussitôt : elle a une tête à aimer *L'Amant* de Marguerite Duras.

point de vue de leurs mains, leur couple prenait des trajectoires diamétralement opposées.

Au bout du compte, Gourvec apprécia l'idée de travailler avec quelqu'un pour qui les livres n'étaient pas sacrés. On peut avoir de très bonnes relations avec un collègue sans discuter littérature allemande tous les matins, reconnut-il. Il s'occupait des conseils aux clients et elle gérait la logistique ; le duo se révéla parfaitement équilibré. Magali n'était pas du genre à remettre en question les initiatives de son responsable, pourtant elle ne put s'empêcher d'exprimer ses doutes quant à cette histoire de livres refusés :

« Quel est l'intérêt d'entreposer des livres dont personne ne veut ?

— C'est une idée américaine.

— Et alors ?

— C'est en hommage à Brautigan.

— Qui ça ?

— Brautigan. Vous n'avez pas lu *Un privé à Babylone* ?

— Non. Peu importe, c'est une idée bizarre. Et en plus, vous voulez vraiment qu'ils viennent déposer leurs livres ici ? On va se taper tous les psychopathes de la région. Les écrivains sont dingues, tout le monde le sait. Et ceux qui ne sont pas publiés, ça doit être encore pire.

— Ils auront enfin une place. Considérez cela comme une œuvre caritative.

— J'ai compris : vous voulez que je sois la Mère Teresa des écrivains ratés.

— Voilà, c'est un peu ça.

— ... »

Magali accepta progressivement que l'idée pouvait être belle, et tenta d'organiser l'aventure avec bonne volonté. À cette époque, Jean-Pierre Gourvec passa une annonce dans les journaux spécialisés, notamment *Lire* et *Le Magazine littéraire*. Annonce qui proposait à tout auteur désireux de déposer son manuscrit dans cette bibliothèque des refusés de faire le voyage jusqu'à Crozon. L'idée plut immédiatement, et de nombreuses personnes se déplacèrent. Certains écrivains traversaient la France pour venir se délester du fruit de leur échec. Cela pouvait s'apparenter à un chemin mystique, la version littéraire de Compostelle. Il y avait ainsi une grande valeur symbolique à parcourir des centaines de kilomètres pour mettre un terme à la frustration de ne pas être publié. C'était une route vers l'effacement des mots. Et peut-être la force était plus grande encore dans ce département de la France où se trouvait Crozon : le Finistère, la fin de la Terre.

4

En une dizaine d'années, la bibliothèque finit par accueillir près de mille manuscrits. Jean-Pierre Gourvec passait son temps à les observer, fasciné par la force de ce trésor inutile. En 2003, il tomba gravement malade et fut longuement hospitalisé à Brest. Ce fut une double peine à ses yeux : son état lui importait moins que le fait de ne plus être avec ses livres. Depuis sa chambre d'hôpital, il continua à donner des directives à Magali, demeurant à l'affût de l'actualité littéraire pour savoir quel livre commander. Il ne devait rien manquer. Il jetait ses dernières forces dans ce qui l'avait toujours animé. La bibliothèque des livres refusés semblait ne plus intéresser personne, et cela l'attristait. Passé l'excitation du début, seul le bouche-à-oreille maintenait le projet dans une sorte de survie. Aux États-Unis aussi, la Brautigan Library commençait à battre de l'aile. Plus personne ne voulait accueillir ces livres délaissés.

Gourvec revint très amaigri. Il ne fallait pas être devin pour comprendre qu'il ne lui restait pas longtemps à vivre. Les habitants de la ville, dans une sorte de réaction bienveillante, furent soudain frappés du désir irrépressible d'emprunter des livres. Magali avait fomenté cette excitation livresque artificielle, comprenant qu'il s'agirait des derniers bonheurs de Jean-Pierre. Fragilisé par la maladie, il ne se rendit pas compte que l'afflux subit de lecteurs ne pouvait être naturel. Au contraire, il se laissa convaincre que son travail de toujours portait enfin ses fruits. Il allait partir, bercé par cette satisfaction immense.

Magali demanda également à plusieurs de ses connaissances d'écrire un roman à la va-vite, pour garnir les étagères des livres refusés. Elle insista même auprès de sa mère :

« Mais je ne sais pas écrire.

— Justement, c'est le moment. Raconte tes souvenirs.

— Je ne me souviens de rien, et je fais plein de fautes.

— On s'en fout maman. On a besoin de livres. Même ta liste de courses, ça ira.

— Ah bon ? Tu crois que ça intéressera ?

— … »

Finalement, sa mère préféra recopier l'annuaire.

En écrivant des livres destinés directement au refus, on s'éloignait du projet initial, mais peu importait. Les huit textes recueillis par Magali en quelques jours firent le bonheur de Jean-Pierre. Il y vit un léger frémissement, signe que rien n'était perdu. Il ne pourrait plus longtemps être témoin des progrès de sa bibliothèque, alors il fit promettre à Magali de conserver au moins les livres accumulés pendant toutes ces années.

« C'est promis Jean-Pierre.

— Ces écrivains nous ont fait confiance… on ne peut pas les trahir.

— J'y veillerai. Ils seront protégés ici. Et il y aura toujours une place pour ceux que personne ne veut.

— Merci.

— Jean-Pierre…

— Oui.

— Je voulais vous remercier…

— Pour quoi ?
— De m'avoir offert *L'Amant*… c'est si beau.
— … »

Il prit la main de Magali et la garda un long moment. Quelques minutes plus tard, seule dans sa voiture, elle se mit à pleurer.

*

La semaine suivante, Jean-Pierre Gourvec mourut dans son lit. On parla de cette figure attachante qui allait manquer à chacun. Mais la brève cérémonie au cimetière ne rassembla que peu de monde. Que resterait-il de cet homme, finalement ? Ce jour-là, on pouvait peut-être comprendre son acharnement à créer et à faire grandir cette bibliothèque des livres refusés. Elle était un tombeau contre l'oubli. Personne ne viendrait se recueillir sur sa tombe, tout comme personne ne viendrait lire les manuscrits rejetés.

*

Magali tint bien sûr sa promesse de conserver les livres acquis, mais elle n'avait pas le temps de continuer à faire croître le projet. Depuis quelques mois, la municipalité tentait de faire des économies un peu partout ; et notamment sur tout ce qui était culturel. Après la mort de Gourvec, alors qu'elle était dorénavant en charge de la bibliothèque, elle ne fut pas autorisée à recruter un remplaçant. Elle se retrouva seule. Progressivement, les étagères du fond seraient délaissées, et la poussière viendrait recouvrir ces mots sans destinataire. Accaparée par sa tâche, Magali elle-même n'y penserait plus que rarement. Comment aurait-elle pu imaginer que cette histoire de livres refusés allait bouleverser son existence ?

DEUXIÈME PARTIE

1

Delphine Despero vivait à Paris depuis presque dix ans, contrainte par sa vie professionnelle, mais elle n'avait jamais cessé de se sentir bretonne. Elle paraissait plus grande qu'elle ne l'était réellement, sans que ce soit une question de talons aiguilles. Il est difficile d'expliquer comment certaines personnes parviennent à se grandir ; est-ce l'ambition, le fait d'avoir été aimé dans son enfance, la certitude d'un avenir radieux ? Un peu de tout cela peut-être. Delphine était une femme que l'on avait envie d'écouter et de suivre, au charisme jamais agressif. Fille d'une professeure de lettres, elle était née dans la littérature. Elle avait ainsi passé son enfance à examiner les copies des élèves de sa mère, fascinée par l'encre rouge de la correction ; elle scrutait les fautes, et les tournures maladroites, mémorisant pour toujours ce qu'il ne fallait pas faire.

Après le baccalauréat, elle partit faire des études de lettres à Rennes, mais ne voulait surtout pas devenir professeure. Son rêve était de travailler dans l'édition. L'été, elle s'arrangeait pour y faire des stages, ou n'importe quel travail lui permettant de commencer à s'introduire dans le milieu littéraire. Elle avait admis très tôt qu'elle ne se sentait pas capable d'écrire, n'en éprouvait aucune frustration, et ne voulait qu'une chose : travailler avec des écrivains. Elle n'oublierait jamais le frisson qui l'avait parcourue en voyant Michel Houellebecq pour la première fois. À l'époque, elle était en stage aux éditions Fayard, là où l'écrivain avait publié *La Possibilité d'une île*. Il s'était arrêté un instant devant elle, pas vraiment pour la dévisager, mais disons plutôt pour la renifler. Elle avait balbutié un *bonjour* qui était resté sans réponse, et cela lui était apparu comme l'échange le plus extraordinaire.

Le week-end suivant, de retour chez ses parents, elle avait été capable de parler pendant une heure de ce moment de rien. Elle admirait Houellebecq, et *son sens inouï du roman*. Cela la fatiguait d'entendre autant de polémiques le concernant, on n'évoquait jamais assez sa langue, son désespoir, son humour. Elle parlait de lui comme s'ils se connaissaient depuis toujours, comme si le simple fait de l'avoir croisé dans un couloir lui permettait de comprendre son œuvre mieux que quiconque. Elle était exaltée, et ses parents la contemplaient avec amusement ; au fond, leur éducation avait consisté à tout faire pour que leur fille s'enthousiasme, s'intéresse, s'émerveille ; en ce sens, ils avaient plutôt réussi. Delphine avait développé une capacité à ressentir les pulsions intérieures qui animaient un texte. De l'avis de tous ceux qui l'ont rencontrée à cette époque, elle était promise à un bel avenir.

Après avoir effectué un stage éditorial chez Grasset, elle fut embauchée comme éditrice junior. Sa jeunesse était exceptionnelle dans la fonction, mais toute réussite est le fruit d'un bon moment ; elle était apparue dans la maison à une période où la direction souhaitait rajeunir et féminiser son équipe éditoriale. On lui confia certains auteurs, pas les plus importants il faut bien l'avouer, mais qui furent heureux d'avoir une jeune éditrice disposée à s'occuper d'eux avec toute son énergie. Elle était également chargée de jeter un œil aux manuscrits envoyés par la poste, quand elle avait un peu de temps libre. C'est elle qui fut à l'origine de la publication du premier roman de Laurent Binet, *HHhH*, extraordinaire livre sur le SS Heydrich. Quand elle tomba sur ce texte, elle se précipita auprès d'Olivier Nora, le patron des éditions Grasset, pour le supplier de le lire très vite. Son enthousiasme paya. Binet signa chez Grasset juste avant que Gallimard ne lui fasse également une proposition. Quelques mois plus tard, le livre obtint le prix Goncourt du premier roman, et Delphine Despero se fit une place d'importance au sein de la maison.

2

À quelques semaines de là, elle eut à nouveau une intuition fulgurante en découvrant le premier roman d'un jeune auteur, Frédéric Koskas. *La Baignoire* évoquait l'histoire d'un adolescent refusant de quitter sa salle de bains, et décidant de vivre dans sa baignoire. Elle n'avait jamais lu un tel livre, porté par une écriture à la fois joyeuse et mélancolique. Elle n'eut pas de mal à convaincre le comité de lecture de la suivre dans sa certitude. En lisant ce manuscrit, on aurait pu penser à *Oblomov* de Gontcharov ou au *Baron perché* de Calvino, mais cette esthétique du refus du monde avait une dimension contemporaine. La différence majeure résidait dans ce constat : avec les images venues des cinq continents, les informations en boucle, les réseaux sociaux, chaque adolescent pouvait potentiellement tout connaître de la vie. Alors quel était l'intérêt de sortir de chez soi ? Delphine pouvait parler de ce roman pendant des heures. Elle considéra aussitôt Koskas comme un petit génie. C'était un mot qu'elle n'employait que très rarement malgré ses enthousiasmes faciles. Certes, il faut préciser un détail : elle était immédiatement tombée sous le charme de l'auteur de *La Baignoire*.

Avant de signer le contrat, ils s'étaient rencontrés plusieurs fois ; d'abord chez Grasset, puis dans un café, et enfin dans le bar d'un grand hôtel. Ils évoquaient ensemble le roman, et les conditions de sa sortie. Le cœur de Koskas battait à l'idée d'être bientôt publié ; c'était le rêve absolu, son nom sur la couverture d'un livre. Il était persuadé que sa vie pourrait alors commencer. Sans son nom fixé sur un roman, il avait toujours pensé qu'il demeurerait un être flottant et comme déraciné. Avec Delphine, il évoquait ses influences ; elle possédait une vaste culture littéraire. Ils échangeaient sur leurs goûts, mais jamais la conversation ne dérivait vers l'intime. L'éditrice mourait d'envie de savoir si son nouvel auteur avait une femme dans sa vie, mais ne se serait jamais autorisée à le lui demander. Elle tentait par des biais détournés d'obtenir l'information, mais en vain. C'est finalement Frédéric qui osa :

« Puis-je vous poser une question personnelle ?

— Oui, je vous en prie.

— Avez-vous un fiancé ?

— Vous voulez que je sois franche ?

— Oui.

— Je n'ai pas de fiancé.

— Comment est-ce possible ?

— Parce que je vous attendais », répondit subitement Delphine, surprise elle-même de sa propre spontanéité.

Aussitôt, elle voulut se reprendre, dire qu'il s'agissait d'un trait d'esprit, mais elle savait bien qu'elle s'était exprimée avec conviction. Nul n'aurait pu douter de la sincérité de ses mots. Bien sûr, Frédéric avait joué son rôle dans l'enchaînement de ce dialogue de séduction en répondant : « Comment est-ce possible ? » Une telle réplique sous-entendait qu'elle lui plaisait, non ? Elle demeurait dans l'embarras, tout en admettant de plus en plus que ses mots avaient été dictés par la vérité. Une forme de vérité pure donc incontrôlable. Oui, elle avait toujours voulu un homme comme lui. Physiquement et intellectuellement. On dit parfois qu'un coup de foudre est la reconnaissance d'un sentiment qui existe déjà en nous. Depuis la première rencontre, Delphine avait ressenti ce trouble ; cette sensation de connaître déjà cet homme, et peut-être même l'avait-elle entraperçu lors de rêves aux allures prémonitoires.

Pris de court, Frédéric ne savait que répondre. Delphine lui avait paru *entièrement* sincère. Quand elle encensait son roman, il pouvait toujours y déceler une pointe d'exagération. Une sorte d'obligation professionnelle de paraître enjouée, imaginait-il. Mais là, la tonalité respirait le premier degré. Il devait dire quelque chose, et de ses mots dépendrait la destinée de leur relation. N'avait-il pas envie de la tenir à distance ? Se concentrer uniquement sur des interactions concernant son roman, et les suivants. Mais les deux étaient liés. Il ne pouvait pas être insensible à cette femme qui le comprenait si bien, cette femme qui changeait le cours de sa vie. Perdu dans le dédale de ses réflexions, il obligea Delphine à prendre la parole à nouveau :

« Si cette attirance n'est pas réciproque, vous vous doutez que je publierai avec le même enthousiasme votre roman.

— Merci pour cette précision.

— Je vous en prie.

— Alors, admettons que nous soyons ensemble…, reprit Frédéric avec un ton subitement amusé.

— Oui, admettons…

— Si jamais on se quitte, qu'est-ce qui se passera ?

— Vous êtes vraiment pessimiste. Rien n'a commencé, et vous parlez déjà de rupture.

— Je veux juste que vous me répondiez : si un jour vous en veniez à me détester, est-ce que vous enverriez tous les exemplaires de mon livre au pilon ?

— Oui bien sûr. C'est un risque à prendre pour vous.

— … »

Il se mit à sourire en la fixant, et par ce regard tout commença.

3

Ils quittèrent le bar pour marcher dans Paris. Ils se transformèrent en touristes dans leur ville, se perdant, errant, mais ils arrivèrent tout de même chez Delphine. Elle louait un studio près de Montmartre, un quartier dont il est difficile de décider s'il est populaire ou bourgeois. Ils montèrent les marches menant au deuxième étage : un préliminaire. Frédéric regardait les jambes de Delphine qui, se sachant observée, avançait lentement. Une fois dans l'appartement, ils se dirigèrent vers le lit et s'allongèrent sans la moindre frénésie, comme si le désir le plus intense pouvait aboutir à un calme tout aussi excitant. Peu après, ils firent l'amour. Et restèrent ensuite serrés longtemps l'un contre l'autre, saisis par l'étrangeté de se trouver subitement dans une intimité totale avec quelqu'un qui, quelques heures auparavant, était encore un étranger. La mutation était rapide, la mutation était belle. Le corps de Delphine avait trouvé cette destination tant recherchée. Frédéric se sentait enfin apaisé, un manque non identifié jusqu'à présent se comblait en lui. Et ils savaient tous deux que ce qu'ils vivaient n'arrivait jamais. Ou alors parfois dans la vie des autres.

Au cœur de la nuit, Delphine alluma la lumière : « Il est temps de parler de ton contrat.

— Ah… c'était donc pour négocier…

— Bien sûr. Je couche avec tous mes auteurs avant de signer. C'est plus facile pour garder les droits audiovisuels.

— …

— Alors ?

— Je les cède. Je cède tout. »

4

Malheureusement, *La Baignoire* fut un échec. Et encore, «échec» est un bien grand mot. Que peut-on attendre de la publication d'un roman? Malgré tous les efforts de Delphine Despero, et l'activation de ses contacts dans la presse, les quelques articles élogieux sur *le souffle romanesque de ce talent prometteur* ne changèrent rien à la destinée classique d'un roman publié. On croit que le Graal est la publication. Tant de personnes écrivent avec ce rêve d'y parvenir un jour, mais il y a pire violence que la douleur de ne pas être publié : l'être dans l'anonymat le plus complet[1]. Au bout de quelques jours, on ne trouve plus votre livre nulle part, et on se retrouve d'une manière un peu pathétique à errer d'une librairie à l'autre, à la recherche d'une preuve que tout cela a existé. Publier un roman qui ne rencontre pas son public, c'est permettre à l'indifférence de se matérialiser.

Delphine ne ménagea pas sa peine pour rassurer Frédéric, en lui disant que ce revers ne diminuerait pas l'espoir que la maison fondait en lui. Mais rien n'y faisait, il se sentait à la fois vide et humilié.

1. Richard Brautigan aurait pu créer une autre bibliothèque. Celle des livres publiés dont personne ne parle : *la bibliothèque des invisibles.*

Il avait vécu des années avec la certitude d'exister un jour par les mots. Il aimait cette posture du jeune homme qui écrit et qui, bientôt, aurait un premier roman à paraître. Mais que pouvait-il espérer maintenant que la réalité avait habillé son rêve d'un vêtement misérable ? Il n'avait pas envie de jouer la comédie, de faussement s'extasier sur le très bel accueil critique que son roman avait reçu, comme tant d'autres qui se glorifiaient d'une notule de trois lignes dans *Le Monde*. Frédéric Koskas avait toujours su regarder sa situation avec objectivité. Et il comprit qu'il ne devait pas changer ce qui faisait sa singularité. On ne le lisait pas, c'était ainsi. « Au moins, j'ai rencontré la femme de ma vie en publiant ce roman », se consolait-il. Il devait poursuivre sa route, avec la conviction qu'il faut à un soldat oublié par son régiment. Quelques semaines plus tard, il se remit à écrire. Un roman dont le titre provisoire était *Le Lit*. Sans révéler le sujet, il précisa simplement à Delphine : « Quitte à ce que ce soit à nouveau un échec, autant que cela soit plus douillet qu'une baignoire. »

5

Ils s'installèrent ensemble, c'est-à-dire que Frédéric emménagea chez Delphine. Pour protéger leur amour des commentaires, personne ne savait leur union au sein de la maison d'édition. Le matin, elle partait travailler, et il se mettait à écrire. Ce livre, il avait décidé de le composer entièrement dans leur lit. L'écriture fournit des alibis extraordinaires. Écrivain est le seul métier qui permette de rester sous une couette toute la journée en disant : « Je travaille. » Parfois, il se rendormait et rêvassait en se laissant convaincre que ce serait utile pour sa création. La réalité était tout autre : il se sentait desséché. Il lui arrivait de penser que ce bonheur à la fois confortable et merveilleux qui lui était tombé dessus pouvait nuire à son écriture. Ne fallait-il pas être perdu ou fragile pour créer ? Non, c'était absurde. On avait écrit des chefs-d'œuvre dans l'euphorie, on avait écrit des chefs-d'œuvre dans le désespoir. Au contraire, pour la première fois de son existence, il avait un cadre de vie. Et Delphine gagnait de l'argent pour deux, le temps qu'il écrive son roman. Il ne se sentait pas l'âme d'un parasite ou d'un assisté mais il avait accepté de se laisser entretenir. C'était une sorte de pacte amoureux entre eux : après tout, il travaillait pour elle, puisqu'elle publierait son roman. Mais il savait aussi qu'elle serait un juge impartial, et que leur histoire n'affecterait en rien son opinion sur la qualité du livre.

En attendant, elle publiait d'autres auteurs, et son acuité continuait à faire parler. Elle refusa plusieurs propositions venant d'autres éditeurs, restant profondément attachée à Grasset, cette maison qui lui avait donné sa chance. Il arrivait à Frédéric de faire de petites crises de jalousie : « Ah bon ? Tu as publié ce livre ? Mais pourquoi ? C'est tellement mauvais. » Elle répondait : « Ne deviens pas un de ces auteurs aigris qui trouvent tous les autres illisibles. Je n'en peux plus de me farcir des pervers égotiques toute la journée. Quand je rentre chez moi, je voudrais voir un auteur concentré sur son travail, et uniquement sur cela. Les autres, cela n'a aucune importance. Et puis les autres je les publie en attendant ton *lit*. Tout ce que je fais dans la vie, d'une manière générale, c'est attendre de retrouver ton lit. » Delphine avait une façon miraculeuse de désamorcer les angoisses de Frédéric. Elle était un parfait mélange de rêveuse littéraire et de femme ancrée dans la réalité ; elle tenait sa force de ses origines, et de l'amour de ses parents.

6

Ses parents, justement. Delphine conversait chaque jour avec sa mère au téléphone, lui racontant sa vie par le menu. Elle parlait aussi avec son père, mais dans une version concentrée, allégée des détails inutiles. Depuis peu, ils étaient tous deux à la retraite. « J'ai été élevée par une prof de français et un prof de maths, ce qui explique ma schizophrénie », plaisantait Delphine. Son père avait fait sa carrière à Brest, et sa mère à Quimper, et chaque soir ils se retrouvaient dans leur maison de Morgat, dans la commune de Crozon. C'était un lieu magique, préservé de tout, où la nature sauvage dominait. Il était impossible de s'ennuyer dans un tel endroit ; la simple contemplation de la mer pouvait remplir une vie entière.

Delphine passait tous ses congés d'été chez ses parents, et celui qui arrivait ne dérogerait pas à la règle. Elle proposa à Frédéric de l'accompagner. Ce serait l'occasion de lui présenter enfin Fabienne et Gérard. Il fit mine d'hésiter, comme s'il avait autre chose à faire. Il demanda :

« Comment est ton lit dans cette maison ?

— Vierge de tout homme.

— Je serai le premier à dormir avec toi là-bas ?

— Le premier, et le dernier j'espère.

— Je voudrais écrire à la manière de tes réponses. C'est toujours beau, puissant, définitif.

— Tu écris mieux que ça. Je le sais. Je le sais avant tout le monde.

— Tu es merveilleuse.

— Tu n'es pas mal non plus.

— …

— Là-bas, c'est le bout du monde. On se promènera le long de la mer, et tout sera limpide.

— Et tes parents ? Je ne suis pas toujours sociable quand j'écris.

— Ils comprendront. Nous, on parle tout le temps. Mais on n'oblige personne à nous suivre. C'est la Bretagne…

— Ça veut dire quoi "C'est la Bretagne" ? Tu dis tout le temps ça.

— Tu verras.

— … »

7

Les choses ne se passèrent pas exactement ainsi. Dès leur arrivée dans la maison, Frédéric se sentit chaleureusement entouré par les parents de Delphine. C'était la première fois qu'elle leur présentait un homme, c'était évident. Ils voulaient tout savoir. Pour cette prétendue « non-obligation » de parler, il repasserait. Alors qu'il était peu à l'aise avec l'idée d'évoquer son passé, il se vit immédiatement interrogé sur sa vie, ses parents, son enfance. Il tenta de donner des gages de sociabilité, saupoudrant ses réponses d'anecdotes savoureuses. Delphine avait le sentiment, à raison, qu'il les inventait pour rendre son récit plus palpitant que la morne réalité.

Gérard avait lu avec attention *La Baignoire*. Il est toujours un peu déprimant pour un auteur qui a publié un livre passé inaperçu de tomber sur un lecteur qui pense lui faire plaisir en lui en parlant pendant d'interminables minutes. Bien sûr, cela part d'un sentiment charmant. Mais, à peine installé, dès le premier apéritif sur la terrasse, face à ce paysage à la beauté désarmante, Frédéric se sentait gêné d'encombrer le moment par ce roman assez médiocre finalement. Progressivement, il commençait à s'en détacher, à y déceler les failles et cette façon d'avoir voulu trop bien faire. Comme si chaque phrase était condamnée à être une preuve immédiate que l'on est formidable. Le premier roman est toujours celui d'un bon élève. Seuls les génies sont d'emblée des cancres. Mais il faut sûrement du temps pour comprendre les respirations d'un récit, ce qui se trame à l'abri de la démonstration. Frédéric avait le sentiment que son deuxième roman serait meilleur, il y pensait sans cesse sans jamais l'évoquer avec quiconque. Il ne fallait pas éparpiller les intuitions par des confidences.

« *La Baignoire* est une formidable parabole du monde contemporain, continuait Gérard.

— Ah…, répondit Frédéric.

— Vous avez raison : la profusion a créé de la confusion dans un premier temps. Et maintenant elle produit une volonté d'abandon. Tout avoir équivaut à ne plus rien vouloir. C'est une équation extrêmement pertinente à mon sens.

— Merci. Je suis gêné par vos compliments…

— Profitez-en. Ce n'est pas comme ça tous les jours ici, dit-il en riant de manière appuyée.

— On retrouve chez vous l'influence de Robert Walser, n'est-ce pas ? enchaîna Fabienne.

— Robert Walser… je… oui… c'est vrai, je l'aime beaucoup. Je ne m'en étais pas rendu compte, mais vous avez sûrement raison.

— Votre roman m'a surtout fait penser à sa nouvelle *La Promenade*. Il a un talent incroyable pour évoquer la flânerie. Les auteurs suisses sont souvent les meilleurs pour parler de l'ennui et de la solitude. Il y a de ça dans votre livre : vous rendez palpitant le vide.

— … »

Frédéric resta sans voix, étranglé par l'émotion. Cette bienveillance dans les propos, cette attention, depuis quand n'avait-il pas rencontré cela ? En quelques phrases, ils venaient de panser les cicatrices de l'incompréhension du public. Il se mit à regarder Delphine qui avait changé sa vie, elle lui envoya un sourire empli de tendresse, et il pensa qu'il avait très envie de découvrir ce fameux lit où aucun homme n'était jamais venu auparavant. Ici, leur amour semblait prendre une dimension supérieure.

8

Après cette introduction bavarde, les parents ne posèrent plus trop de questions à Frédéric. Les jours passèrent, et il éprouva un grand plaisir à écrire dans cette région qu'il ne connaissait pas. Le matin, il se consacrait à son roman ; l'après-midi, il marchait avec Delphine, arpentant ces territoires où ils ne croisaient jamais personne. C'était le décor idéal pour s'oublier. Elle aimait aussi lui raconter, ici ou là, les détails de son adolescence. Le passé se recomposait par petites touches, et c'était maintenant toutes les époques de la vie de Delphine que Frédéric pouvait aimer.

Delphine profitait de son temps libre pour retrouver des amis d'enfance. C'est une catégorie particulière de l'amitié : les affinités sont avant tout géographiques. À Paris, elle n'aurait peut-être plus rien à dire à Pierrick ou à Sophie, ils étaient devenus si différents, mais ici ils pouvaient parler pendant des heures. Chacun racontait sa vie, année après année. On posait des questions à Delphine sur les personnalités qu'elle pouvait croiser. « Il y a beaucoup de gens superficiels », dit-elle sans le penser franchement. On raconte si souvent ce que les autres veulent entendre. Delphine savait que ses amis d'enfance voulaient l'entendre critiquer Paris ; cela les rassurait. Le temps passait gentiment avec eux, mais elle n'avait qu'une hâte : retrouver Frédéric. Elle était heureuse qu'il se sente bien en Bretagne pour écrire. Elle conseilla son roman à ses amis, et s'entendit répondre :

« On le trouve en poche ?

— Non », balbutia Delphine.

Malgré son influence croissante, elle n'avait pu convaincre personne de publier dans une nouvelle édition ce livre qui avait été un échec total. Aucune raison objective ne pouvait laisser penser qu'un prix inférieur aiderait à modifier le destin commercial de *La Baignoire*.

Delphine préféra changer de sujet, parler des romans qu'elle avait emportés. Avec les nouvelles technologies, plus besoin de trimballer des valises de manuscrits pendant les vacances. Elle avait une vingtaine de livres à lire pendant le mois d'août. Tous étaient stockés dans sa liseuse. On lui demanda de quoi parlaient tous ces romans, et Delphine dut admettre que, la plupart du temps, elle était incapable de les résumer. Elle n'avait rien lu de mémorable. Elle continuait à éprouver pourtant de l'excitation à l'entame de chaque lecture. Et si c'était le bon ? Et si j'allais découvrir un auteur ? Son métier la stimulait au plus haut point, elle le vivait presque de manière enfantine, comme on cherche des chocolats cachés dans un jardin. Et puis, elle adorait travailler sur les manuscrits des auteurs qu'elle publiait. Elle avait relu au moins une dizaine de fois *La Baignoire*. Quand elle aimait un roman, la nécessité ou non d'un point-virgule pouvait faire battre son cœur.

9

Ce soir-là, il faisait si beau qu'on décida de dîner dehors. Frédéric mit la table, avec le plaisir un peu ridicule de se sentir utile. Les écrivains sont si heureux à l'idée d'accomplir une tâche ménagère. Ils aiment contrebalancer leurs errances vaporeuses par une excitation du concret. Delphine parlait beaucoup avec ses parents, ce qui fascinait son compagnon. Ils ont toujours quelque chose à se dire, pensait-il. Avec eux, jamais de page blanche dans la conversation. C'était peut-être une question d'entraînement. La parole menait à la parole. Ce que Frédéric constatait soulignait avec encore plus de force l'incapacité qu'il avait à communiquer avec ses propres parents. Avaient-ils seulement lu son roman ? Peu probable. Sa mère tentait de nouer avec lui des relations plus tendres, mais il était difficile de combler un passé de sécheresse affective. En tout cas, il pensait peu à eux. Depuis quand ne leur avait-il pas parlé ? Il ne pouvait pas vraiment le dire. L'échec de son roman l'avait éloigné d'eux encore davantage. Il ne voulait pas voir le regard méprisant de son père qui, à coup sûr, aurait évoqué tous ces autres romans qui rencontraient le succès.

Frédéric ne savait même pas ce qu'ils faisaient cet été. Cela lui paraissait déjà étrange qu'ils soient tous les deux. Après vingt ans de séparation, ils venaient de se remettre ensemble. Que s'était-il passé dans leurs têtes ? C'est sûrement une bonne raison pour devenir romancier que l'incapacité de comprendre ses parents. On pouvait imaginer qu'ils avaient essayé la vie l'un sans l'autre et qu'à défaut de mieux ils s'étaient finalement retrouvés. Frédéric avait souffert de devoir sans cesse trimballer ses affaires à droite et à gauche durant toute son enfance, et voilà qu'ils reprenaient sans lui une vie familiale. Devait-il se sentir coupable ? La vérité était sans doute plus simple : ils étaient effrayés par la solitude.

Frédéric quitta ses pensées[1] pour revenir au présent :

« Tu n'en as pas marre de lire tous ces manuscrits ? demandait Fabienne à sa fille.

— Non, j'adore ça. Mais ces derniers temps, c'est vrai que je fatigue un peu. Je n'ai rien lu de très excitant.

— Et *La Baignoire* ? Tu l'as découvert comment ?

— Frédéric l'a envoyé par la poste, tout simplement. Et je l'ai repéré en fouinant dans le bureau où sont entreposés les manuscrits. J'ai été attirée par le titre.

— À vrai dire, je l'ai déposé à l'accueil, précisa Frédéric. Je suis passé dans plusieurs maisons d'édition, sans trop y croire. Je ne pouvais pas imaginer qu'on me rappellerait dès le lendemain matin.

— Ça doit être plutôt rare que ça aille si vite, non ? interrogea Gérard, toujours friand de participer à une conversation, même si elle ne l'intéressait pas vraiment.

— Pour la rapidité de la réaction, ça c'est sûr. Mais aussi pour la publication. Chez Grasset, seuls trois ou quatre romans par an arrivés par la poste sont publiés.

1. Depuis combien de temps n'écoutait-il plus la conversation ? Personne n'aurait pu le dire. L'être humain est doté de cette capacité unique de hocher la tête et de donner l'illusion d'écouter pleinement ce qui se dit, tout en pensant à autre chose. C'est pourquoi il ne faut jamais espérer lire la vérité dans le regard de quiconque.

— Sur combien de livres reçus ? demanda Fabienne.

— Des milliers.

— Je suppose que quelqu'un s'occupe de refuser les textes. Tu parles d'un métier, souffla Gérard.

— En général c'est une lettre type qu'un stagiaire envoie, expliqua Delphine.

— Ah oui, la fameuse lettre : "Malgré toutes les qualités de votre texte, blablabla… nous sommes au regret de vous dire qu'il ne correspond pas à notre ligne éditoriale… veuillez recevoir… blablabla…" Elle a bon dos, la ligne éditoriale.

— Tu as raison, répondit Delphine à sa mère. Surtout qu'elle n'existe pas, c'est un prétexte. Il suffit de passer deux secondes dans notre catalogue pour voir qu'on édite des livres totalement différents les uns des autres. »

Il y eut alors un petit blanc dans la conversation : un fait rarissime chez les Despero. Gérard en profita pour resservir un verre de rouge à chacun ; c'était déjà la troisième bouteille qu'on finissait ce soir-là.

Fabienne enchaîna avec une anecdote locale :

« Il y a quelques années, le bibliothécaire de Crozon s'est mis en tête de récolter tous les livres refusés par les éditeurs.

— Ah bon ? s'étonna Delphine, surprise de ne pas connaître cette histoire.

— Oui. Ce projet était inspiré d'une bibliothèque américaine, je crois. Je ne suis plus trop certaine des détails. Je me souviens juste qu'à l'époque on en avait beaucoup parlé. Ça amusait les gens. Quelqu'un avait même dit que c'était une sorte de déchetterie littéraire.

— C'est idiot, je trouve que c'est une belle idée, coupa Frédéric. Si personne n'avait voulu de mon livre, j'aurais peut-être aimé qu'il soit au moins accepté quelque part.

— Et elle existe encore ? demanda Delphine.

— Oui. Je n'ai pas l'impression qu'elle soit très active, mais il y a quelques mois je suis passée à la bibliothèque, et j'ai vu que toutes les étagères du fond étaient toujours consacrées aux refusés.

— Il doit y avoir de sacrés navets là-bas ! » ricana Gérard, mais personne ne sembla apprécier son humour.

Frédéric comprit qu'il avait souvent dû être tenu à l'écart du duo mère-fille. Par sympathie, il lui adressa un petit sourire de connivence, mais il ne poussa pas l'entente jusqu'à émettre un rire. Gérard se reconcentra, et reconnut qu'il trouvait cette initiative absurde. En tant que mathématicien, il n'imaginait pas qu'il existe un endroit dédié à toutes les recherches scientifiques avortées, ou à tous les brevets qui ont failli être validés. Il y avait justement des indicateurs, des barrages à passer, pour délimiter les mondes du succès et de l'échec. Il eut une autre comparaison, pour le moins étrange : « En amour, ce serait comme si une femme vous disait non, mais qu'on vous permettait tout de même de vivre une histoire avec elle… » Delphine et Fabienne ne comprirent pas vraiment ce parallèle, mais louèrent la tentative pathétique de l'homme rationnel tentant de se montrer tendre. Les scientifiques ont parfois le goût de ces métaphores poétiques aussi flamboyantes qu'un poème écrit par un enfant de quatre ans (il était temps de se coucher).

10

Une fois dans leur lit, Frédéric caressa les jambes de Delphine, ses cuisses, puis arrêta un doigt sur un point de son corps :

« Et si je le mets là, est-ce que tu refuses ? » chuchota-t-il.

11

Le lendemain matin, Delphine proposa à Frédéric une promenade à vélo, jusqu'à Crozon, pour voir de plus près cette bibliothèque. Habituellement, il travaillait au moins jusqu'à treize heures, mais lui aussi était animé par ce désir pressant. Constater physiquement l'échec des autres lui ferait peut-être du bien.

Magali travaillait toujours à la bibliothèque. Elle avait pris du poids. Sans trop savoir pourquoi, elle s'était laissée aller. Cela n'avait pas commencé tout de suite après la naissance de ses deux fils, mais quelques années plus tard. Peut-être au moment où elle avait compris qu'elle vivrait toute sa vie ici, et exercerait ce métier jusqu'à la retraite. Cet horizon tracé coupa chez elle tout désir d'apparence. Et quand elle constata que ses kilos en plus ne gênaient pas vraiment son mari, elle continua sur ce chemin qui la menait à ne plus se reconnaître. Il lui disait l'aimer malgré les changements de son corps, et elle aurait pu en conclure que son amour était profond ; mais elle y vit surtout une preuve d'indifférence.

Un autre changement important était à préciser : année après année, elle était devenue littéraire. Elle qui avait commencé cette carrière un peu par hasard, sans le moindre goût pour les livres, pouvait maintenant conseiller les lecteurs, les guider dans leurs choix. Progressivement, elle avait fait évoluer le lieu à son image. Elle avait aménagé un coin plus vaste pour les plus jeunes, et créé des ateliers ludiques proposant des lectures à voix haute. Ses fils, devenus adultes, venaient parfois lui donner un coup de main le week-end. Deux colosses qui travaillaient comme leur père au garage Renault et qu'on découvrait recroquevillés en train de lire pour les enfants l'histoire *De la petite taupe qui voulait savoir qui lui avait fait sur la tête.*

Il ne venait plus grand monde pour la bibliothèque des refusés, si bien que Magali l'avait presque oubliée elle-même. Parfois, un individu un peu louche entrait timidement pour chuchoter que personne n'avait voulu de son livre. Il avait entendu parler de ce refuge par des amis d'amis d'écrivains non publiés. On se passait le mot dans cette communauté de la désillusion.

Le jeune couple entra dans la bibliothèque, et Delphine se présenta, disant qu'elle habitait Morgat.

« Tu es la fille des Despero ? demanda Magali.

— Oui.

— Je me souviens de toi. Tu venais quand tu étais petite…

— C'est vrai.

— Enfin, c'est surtout ta mère qui venait emprunter des livres pour toi. Mais ce n'est pas toi qui travailles à Paris, dans l'édition ?

— Oui, c'est moi.

— Tu pourrais peut-être nous avoir gratuitement des livres ? enchaîna Magali avec un sens commercial inversement proportionnel à sa finesse.

— Euh… oui bien sûr, je vais voir ce que je peux faire.

— Merci.

— En tout cas, je peux vous recommander un très bon roman, *La Baignoire.* Et vous obtenir quelques exemplaires à titre gracieux.

— Ah oui, j'en ai entendu parler. Il paraît que c'est nul.

— Non, pas du tout. Et, justement, je vous présente l'auteur.

— Oh, je suis désolée. Dès qu'il y a une gaffe à faire, je la fais.

— Ne vous inquiétez pas, la rassura Frédéric. Moi aussi ça m'arrive de dire qu'un livre est nul à ce qu'il paraît, alors que je ne l'ai pas lu.

— Mais je vais le lire. Et le mettre en avant. Après tout, ce n'est pas tous les jours qu'on a une vedette à Crozon, se rattrapa Magali.

— Une vedette, c'est un peu exagéré, bredouilla Frédéric.

— Oui, enfin un auteur publié, quoi.

— Justement…, enchaîna Delphine. On est venus vous voir, car on a entendu parler d'une bibliothèque un peu particulière.

— J'imagine que vous parlez des livres refusés.

— Voilà c'est ça.

— Elle est au fond de la salle. Je l'ai conservée en hommage à son fondateur, mais ça doit être un ramassis de mauvais textes.

— Oui, sûrement. Mais on adore l'idée, dit Delphine.

— Ça aurait fait plaisir à Gourvec qui l'avait fondée. Il aimait qu'on s'intéresse à sa bibliothèque. C'était l'œuvre de sa vie, on peut dire ça comme ça. Il a fait des échecs des autres sa propre réussite.

— C'est très beau », conclut Frédéric.

Magali avait prononcé spontanément cette phrase sans se rendre compte de sa poésie ; elle laissa le jeune couple avancer vers ce rayon consacré aux refusés. Elle se dit que ça faisait longtemps qu'elle n'avait pas dépoussiéré ces étagères-là.

TROISIÈME PARTIE

1

Quelques jours plus tard, Delphine et Frédéric retournèrent à la bibliothèque. La lecture de tous ces textes improbables les avait enchantés. Ils avaient eu plusieurs crises de fou rire en découvrant des titres, mais aussi des moments plus émouvants face à des journaux intimes, certes mal écrits, mais dans lesquels ne demeurait pas moins une vérité du sentiment.

Ils passèrent ainsi toute une après-midi, ne voyant pas l'heure tourner. En fin de journée, la mère de Delphine, inquiète, attendait dans le jardin. Elle vit enfin le jeune couple revenir, juste avant le coucher du soleil. Ils étaient apparus au loin, précédés de la lumière des phares de leurs vélos. Immédiatement, elle avait reconnu sa fille, à sa façon de rouler d'une manière si précise, si droite. Son arrivée s'annonçait par ce fil de lumière tendu, mécanique. Celui de Frédéric était plus artiste, il roulait par à-coups, sans ligne directrice. On pouvait l'imaginer détourner sans cesse le regard de la route. Fabienne pensa alors qu'ils formaient un beau couple : une alliance du concret et de la rêverie.

« Excuse-nous maman, on n'avait plus de batterie. Et on a été retenus.

— Par quoi ?

— Par quelque chose d'extraordinaire.

— Qu'est-ce qui s'est passé ?

— Appelons papa d'abord. Tout le monde doit être là. »

Elle avait prononcé cette dernière phrase de manière sentencieuse.

2

Quelques minutes plus tard, en prenant l'apéritif, Delphine et Frédéric racontèrent leur après-midi à la bibliothèque. À tour de rôle, chacun précisait une anecdote relatée par l'autre. On les sentait animés du désir de faire durer le moment, de ne pas dévoiler trop vite une révélation majeure. Ils évoquèrent leurs rires face à certains manuscrits, notamment les plus impudiques ou les plus farfelus comme *La Masturbation et les Sushis*, une ode érotique au poisson cru. Les parents insistaient pour qu'ils accélèrent le récit, mais rien à faire, ils prenaient les petites routes départementales, s'arrêtaient pour contempler le paysage, faisant du voyage de leur récit une errance lente et savoureuse. Jusqu'à la chute :

« On est tombés sur un chef-d'œuvre, annonça Delphine.

— Ah bon ?

— Au début, je me suis dit qu'il y avait quelques bonnes pages, pourquoi pas après tout, et puis je me suis laissé emporter par l'histoire. Je ne pouvais pas lâcher le livre. Je l'ai lu en deux heures. J'ai été bouleversée. Et tout cela était porté par une écriture si étrange, à la fois simple et poétique. Dès que je l'ai fini, je l'ai passé à Frédéric, et je ne l'avais jamais vu comme ça. Je l'ai senti subjugué.

— Oui, c'est ça, confirma Frédéric qui paraissait encore sous le choc.

— Mais ça parle de quoi ce livre ?

— On a emprunté le manuscrit, tu pourras le lire.

— Tu l'as pris comme ça ?

— Oui, à mon avis cela ne dérangera personne.

— Et donc, quel est le sujet ?

— Ça s'appelle *Les Dernières Heures d'une histoire d'amour*. C'est magnifique. Ça parle d'une passion qui doit se terminer. Pour diverses raisons, le couple ne peut plus continuer à s'aimer. Le livre raconte leurs derniers moments. Mais la force inouïe de ce roman, c'est que l'auteur relate en parallèle l'agonie de Pouchkine.

— Oui, Pouchkine a été blessé lors d'un duel,

continua Frédéric, et il a souffert le martyre pendant des heures avant de succomber. C'est une idée extraordinaire de mêler la fin d'un amour à la souffrance du plus grand poète russe.

— Le livre commence d'ailleurs par cette phrase : "On ne peut pas comprendre la Russie si on n'a pas lu Pouchkine", précisa Delphine.

— J'ai hâte de le lire, annonça Gérard.

— Toi ? Je croyais que tu n'aimais pas trop lire, dit Fabienne.

— Oui mais là, ça donne envie. »

Delphine dévisagea son père. Et ce n'était pas la fille qui le regardait mais l'éditrice. Elle comprit immédiatement que ce roman pouvait toucher les lecteurs. Et, bien sûr, la façon dont il avait été découvert en ferait une formidable genèse éditoriale.

« Qui est l'auteur ? demanda la mère.

— Je ne sais pas. Il s'appelle Henri Pick. Sur le manuscrit, il est écrit qu'il habite Crozon. Ça doit être facile de le retrouver.

— Ça me dit quelque chose, ce nom, dit le père. Je me demande si ce n'est pas le type qui a tenu une pizzeria pendant longtemps. »

Le jeune couple fixa Gérard. Ce dernier n'était pas du genre à se tromper. Cela semblait improbable, mais toute cette aventure l'était.

Le lendemain matin, la mère de Delphine avait également lu le livre. Elle avait trouvé l'intrigue belle, et assez simple, avant d'ajouter :

« C'est vrai qu'il se dégage une force tragique grâce au parallèle avec l'agonie de Pouchkine. Je ne connaissais pas toute cette histoire d'ailleurs.

— Pouchkine est très peu connu en France, répondit Delphine.

— Sa mort est si absurde… »

Fabienne voulait encore évoquer le poète russe et les conditions de son agonie, mais Delphine la coupa pour parler de l'auteur du roman. Elle y avait pensé toute la nuit. Qui pouvait écrire un tel livre sans se faire connaître ?

Il ne fut pas très compliqué de retrouver la trace de cet homme mystérieux. En tapant son nom sur Google, Frédéric repéra un avis de décès datant de deux ans. Henri Pick ne saurait donc jamais que son livre avait eu des lecteurs enthousiastes, dont une éditrice. Il fallait rencontrer ses proches, pensa Delphine. Sur l'avis, il était fait mention d'une épouse et d'une fille. La veuve habitait Crozon, et son adresse était dans les Pages jaunes. Ce n'était pas l'enquête la plus compliquée qui soit.

3

Madeleine Pick venait d'avoir quatre-vingts ans et vivait seule depuis la mort de son mari. Pendant plus de quarante ans, ils avaient tenu ensemble une pizzeria. Henri était aux fourneaux, et elle servait en salle. Toute leur vie avait fonctionné au rythme du restaurant. La retraite avait été un immense déchirement. Mais le corps ne suivait plus. Henri avait été victime d'un accident cardiaque. À contrecœur, il avait dû vendre. Parfois, il retournait à la pizzeria en tant que client. Il avait confié à Madeleine qu'il se sentait alors tel un homme observant son ancienne femme avec son nouveau mari. Les derniers mois de sa vie, il était devenu de plus en plus morose, se détachant de tout, n'ayant plus goût à rien. Sa femme, qui avait toujours été plus sociable et joyeuse que lui, assistait au naufrage, impuissante. Il était mort dans son lit, quelques jours après avoir marché un peu trop longtemps sous la pluie ; difficile de dire si cela avait été une forme de suicide maquillé en imprudence. Sur son lit de mort, il avait paru serein. Madeleine passait maintenant la plupart de ses journées seule, mais sans jamais s'ennuyer. Parfois, elle s'asseyait pour faire de la broderie, passe-temps qu'elle trouvait ridicule mais auquel elle avait pris goût. Alors qu'elle terminait les derniers rangs d'un napperon, on sonna à sa porte.

Elle ouvrit sans crainte, ce qui surprit Frédéric. Cette région semblait protégée de toute appréhension d'agression.

« Bonjour. Excusez-nous de vous déranger. Vous êtes bien madame Pick ?

— Oui, jusqu'à preuve du contraire, c'est moi.

— Et votre mari s'appelait bien Henri ?

— Jusqu'à sa mort, c'était bien son prénom.

— Je m'appelle Delphine Despero. Je ne sais pas si vous connaissez mes parents. Ils sont de Morgat.

— Oui, peut-être. J'ai vu tellement de monde avec le restaurant. Mais ça me dit quelque chose. Tu n'avais pas des couettes et un vélo rouge quand tu étais petite ?

— ... »

Delphine resta sans voix. Comment cette femme pouvait-elle se rappeler un tel détail ? Effectivement, c'était bien elle. Elle retrouva un furtif instant ses sensations de fillette à couettes filant sur son vélo rouge.

Ils entrèrent dans le salon. Il y avait une horloge qui gênait le silence en rappelant incessamment sa présence. Madeleine ne devait plus s'en rendre compte. Le bruit de chaque seconde était sa routine sonore. Les bibelots disséminés un peu partout évoquaient une boutique de souvenirs bretons. Il était impossible de douter un instant de la situation géographique de cette maison. Elle respirait la Bretagne, et ne portait pas la plus petite trace d'un voyage. Quand Delphine demanda à la vieille femme si elle se rendait parfois à Paris, la réponse fut cinglante :

« J'y suis allée une fois. Quel enfer. Le monde, le stress, l'odeur. Et franchement la tour Eiffel, on en fait toute une histoire, je ne comprends pas.

— ...

— Je vous sers quelque chose à boire ? enchaîna Madeleine.

— Oui, merci. Avec plaisir.
— Vous voulez quoi ?
— Ce que vous avez », répondit Delphine, ayant compris qu'il valait mieux ne pas la brusquer. Elle gagna la cuisine, laissant ses convives dans le salon. Le couple se regarda dans un silence embarrassé. Madeleine revint vite avec deux tasses de thé au caramel.

Par politesse, Frédéric but son thé alors qu'il détestait par-dessus tout l'odeur du caramel. Il n'était pas à l'aise dans cette maison, elle l'étouffait, et lui faisait un peu peur même. Il avait le sentiment que des choses horribles s'étaient produites ici. Il repéra alors une photo qui trônait audessus de la cheminée. Le portrait d'un homme à l'air bourru, avec une moustache barrant son visage.
« C'est votre mari ? demanda-t-il tout bas.
— Oui. C'est une photo de lui que j'aime beaucoup. Il a l'air heureux. Et il sourit, ce qui était plutôt rare. Henri n'était pas du genre expansif.
— … »
Cette dernière réplique offrait une dimension concrète à la théorie de la relativité : sur cette photo, les jeunes gens ne distinguaient pas le moindre soupçon de sourire, ni même de bonheur. Le regard d'Henri portait au contraire une profonde tristesse. Pourtant, Madeleine continua de commenter la joie de vivre qui selon elle se dégageait du cliché.

Delphine ne voulait pas presser son hôtesse. Il était préférable de la faire parler un peu, de sa vie, de son mari, avant d'aborder le sujet de sa visite. Madeleine évoqua leur ancien métier, les heures que passait Henri au restaurant pour tout préparer. Il n'y a pas grand-chose à raconter, finit-elle par admettre. *Le temps est passé si vite*, voilà tout. Jusque-là, elle avait semblé détachée dans sa façon de dire les choses, mais elle fut brusquement rattrapée par l'émotion. Elle se rendit compte qu'elle ne parlait jamais d'Henri. Depuis qu'il était mort, il avait disparu des conversations, du quotidien, et peut-être même de la mémoire de tous. Alors, elle se laissa aller à des confidences, ce qui n'était pas dans ses habitudes ; sans même se poser la question de savoir pourquoi deux inconnus assis dans son salon voulaient l'entendre parler de son mari défunt. Quand un événement vous procure du bien-être, on ne se demande pas ce qui le provoque. Petit à petit se composait le portrait d'un homme sans histoires, ayant mené une vie d'une discrétion sans égale.

« Avait-il des passions ? demanda Delphine au bout d'un moment, pour accélérer un peu le mouvement.

— …

— Auriez-vous déjà vu une machine à écrire à la pizzeria ?

— Quoi ? Une machine à écrire ?

— Oui.

— Non. Jamais.

— Est-ce qu'il aimait lire ? reprit Delphine.

— Lire ? Henri ? répondit-elle en souriant. Non, je ne l'ai jamais vu avec un livre. À part le programme télé, il ne lisait pas. »

Les visages des deux visiteurs exprimaient des sentiments mêlés entre la stupéfaction et l'excitation. Face au silence de ses convives, Madeleine ajouta subitement :

« À vrai dire, je repense à un détail. Quand nous avons vendu la pizzeria, on a passé des jours à ranger. Tout ce qu'on avait accumulé pendant des années. Et je me souviens avoir trouvé à la cave un carton avec des livres.

— Vous pensez donc qu'il avait pu lire à votre insu au restaurant ?

— Non. Je lui ai demandé ce que c'était, et il m'a répondu qu'il s'agissait de tous les livres oubliés par les clients depuis des années. Il les avait mis là au cas où ils reviendraient les chercher. Sur le moment, j'ai trouvé ça un peu bizarre, car je n'avais pas le souvenir de consommateurs qui avaient oublié des livres sur les tables. Mais je n'étais pas tout le temps là. Et après le service, je rentrais souvent à la maison, pendant qu'il rangeait. Il était beaucoup plus présent au restaurant que moi. Il y arrivait à huit ou neuf heures du matin, pour rentrer à minuit.

— Ah oui, ça fait de longues journées, observa Frédéric.

— Henri était heureux comme ça. Il adorait le matin quand personne ne le dérangeait. Il préparait sa pâte, et il pensait à changer son menu pour que les clients ne se lassent pas. Il aimait inventer de nouvelles pizzas. Il s'amusait en leur donnant des noms. Je me souviens de la Brigitte Bardot, ou la Staline avec des piments rouges.

— Pourquoi Staline ? demanda Delphine.

— Oh je ne sais pas trop. Il avait des lubies parfois. Il aimait bien la Russie. Enfin les Russes. Il disait que c'était un peuple fier, un peu comme les Bretons.

— …

— Excusez-moi, mais je dois rendre visite à une amie à l'hôpital. Voilà mes sorties maintenant. Hôpital, maison de retraite ou cimetière. C'est le trio magique. Mais, pourquoi vouliez-vous me voir ?

— Vous devez partir tout de suite ?

— Oui.

— Dans ce cas-là, reprit une Delphine déçue, le mieux est de se revoir, car ça peut prendre un peu de temps, ce que nous avons à vous dire.

— Ah… vous m'intriguez, mais je dois vraiment y aller.

— Merci beaucoup d'avoir pris le temps de nous rencontrer.

— Je vous en prie. Ça vous a plu, le thé au caramel ?

— Oui merci, répondirent Delphine et Frédéric en chœur.

— Tant mieux, car on me l'a offert, et je n'aime pas ça du tout. Alors j'essaye de m'en débarrasser quand j'ai des invités. »

Devant la mine stupéfaite des Parisiens, Madeleine ajouta que c'était pour rire. En vieillissant, elle s'était rendu compte que plus personne ne la pensait capable d'avoir de l'humour. Forcément, les vieux doivent devenir sinistres, ne rien comprendre à rien, et être incapables du moindre trait d'esprit.

Au moment de se quitter, Delphine demanda quand ils pourraient se revoir. Madeleine précisa, avec une pointe d'ironie, qu'elle était libre de tout engagement. C'était quand ils le souhaitaient. Ils convinrent d'un rendez-vous pour le lendemain. La vieille dame s'approcha alors de Frédéric :

« Vous avez mauvaise mine, vous.

— Ah bon ?

— Vous devriez vous promener davantage au bord de la mer.

— Vous avez raison. Je ne sors pas assez, sûrement.

— Et vous faites quoi ?

— J'écris. »

Elle lui jeta alors un regard consterné.

4

Sitôt entrée dans la chambre d'hôpital de son amie, Madeleine raconta la visite qu'elle venait de recevoir. Elle rallongea l'anecdote du thé au caramel pour tenter de la divertir. Sylviane lui serra la main, signe qu'elle appréciait le récit. Les deux femmes se connaissaient depuis l'enfance, elles avaient sauté à la corde ensemble dans la cour de l'école, s'étaient raconté leur première fois avec un garçon, puis les problèmes d'éducation avec les enfants, et la vie avait passé ainsi jusqu'aux décès quasi simultanés de leurs maris ; et maintenant l'une allait partir avant l'autre.

5

Après cette visite écourtée, Delphine et Frédéric décidèrent d'aller déjeuner dans le restaurant qui avait été celui des Pick. La pizzeria était devenue une crêperie, ce qui semblait plus logique. Quand on vient en Bretagne, c'est pour manger des crêpes et boire du cidre. Il faut se soumettre au diktat culinaire de chaque région. Ainsi, depuis l'arrivée des nouveaux propriétaires, la clientèle avait radicalement changé ; les habitués du coin avaient cédé la place aux touristes.

Ils contemplèrent les lieux un long moment pour se familiariser avec l'idée que Pick avait rédigé son roman ici. Cela paraissait peu probable à Frédéric :

« Ça n'a aucun charme, il fait chaud, c'est bruyant… tu l'imagines en train d'écrire ?

— Oui. En hiver, il n'y a personne. Tu ne te

rends pas compte, mais pendant de nombreux mois c'est très calme. Tout juste l'atmosphère déprimante dont les écrivains ont besoin.

— Ce n'est pas faux. Atmosphère déprimante, c'est ce que je me dis, en écrivant chez toi.

— Très drôle... »

Enjoués, ils étaient de plus en plus excités par toute cette histoire qui prenait forme. Le caractère de Madeleine les avait impressionnés. Ils avaient hâte de connaître sa réaction, le lendemain, quand elle apprendrait l'activité secrète de son mari.

La serveuse[1] leur demanda ce qu'ils désiraient. À chaque fois, c'était le même refrain. Delphine choisissait très vite ce qu'elle allait manger (en l'occurrence une salade maritime) pendant que Frédéric hésitait de longues minutes, parcourant la carte d'un œil hagard, tel un écrivain butant sur une phrase bancale. Pour trouver une issue à cette impasse décisionnelle, il scrutait autour de lui le contenu des assiettes des autres clients. Les crêpes semblaient plutôt bonnes, mais laquelle choisir ? Il pesa le pour et le contre, tout en sachant pertinemment qu'il était victime d'une malédiction. Au bout du compte, il ne prenait jamais le bon plat. Pour l'aider, Delphine le conseilla :

« Tu te trompes toujours. Alors si tu veux une complète, prends une forestière.

— Oui, tu as raison. »

1. Il s'agissait de la patronne ; tout comme les Pick, c'était un couple qui tenait le restaurant.

La patronne assista à ce dialogue sans rien dire mais, en transmettant la commande à son mari, elle précisa : « Je te préviens, c'est pour des psychopathes. » Un peu plus tard, tandis qu'il se régalait de sa crêpe, Frédéric admit que sa fiancée avait résolu son problème : il lui suffisait d'aller contre ses intuitions.

6

En déjeunant, ils ressassèrent l'histoire du manuscrit retrouvé :

« On tient notre Vivian Maier, annonça Delphine.

— Qui ça ?

— Cette fabuleuse photographe dont on a retrouvé tous les clichés après sa mort.

— Ah oui, tu as raison. Pick est notre Vivian à nous…

— C'est pratiquement la même histoire. Et les gens adorent ça. »

*

L'HISTOIRE DE VIVIAN MAIER
(1926-2009)

À Chicago, une Américaine d'origine française, un peu excentrique, a passé sa vie à prendre des photos, sans jamais les montrer à quiconque, sans jamais penser à exposer, et souvent sans même avoir les fonds suffisants pour faire développer les clichés. Ainsi, elle n'a pas pu voir une grande partie de son travail, mais elle était consciente de son talent. Alors pourquoi n'a-t-elle jamais tenté de vivre de son art ? Habillée de robes larges, inséparable de son chapeau vieillot, elle gagnait sa vie comme gouvernante. Les enfants dont elle s'est occupée ne peuvent l'oublier. Et encore moins son appareil photo systématiquement en bandoulière. Mais qui pouvait imaginer que son œil était exceptionnel ?

Elle qui a fini dans la folie et le dénuement a laissé des milliers de photos dont la valeur s'accroît chaque jour depuis leur découverte. À la fin de sa vie, alors qu'elle était hospitalisée et désormais incapable de payer la location du box où elle stockait le fruit de sa vie artistique, les boîtes contenant ses clichés furent mises aux enchères. Un jeune homme préparant un film sur le Chicago des années 1960 acheta le lot pour une somme dérisoire. Il tapa le nom de la photographe sur Google, mais rien n'apparut. Quand il créa un site Internet pour montrer les photos de cette inconnue, il reçut des centaines de commentaires dithyrambiques. Le travail de Vivian Maier ne pouvait pas laisser indifférent. Quelques mois plus tard, il tapa à nouveau son nom sur un moteur de recherche et tomba cette fois-ci sur l'annonce de son décès. Deux frères avaient organisé la cérémonie funéraire de leur ancienne « nounou ». Le jeune homme les appela, et c'est ainsi qu'il découvrit que le génie dont il détenait les photos avait travaillé une grande partie de sa vie comme baby-sitter.

*Voilà un exemple inouï de vie artistique quasi secrète. La reconnaissance n'intéressait pas Vivian Maier, montrer son travail encore moins. Aujourd'hui, son œuvre fait le tour du monde, et elle est considérée comme l'une des plus grandes artistes du XX*e *siècle. Ses photos sont impressionnantes, une façon unique de capturer des scènes de la vie quotidienne, sous des angles singuliers. Mais sa foudroyante et posthume notoriété possède forcément un lien avec son incroyable histoire. Les deux sont indissociables.*

*

Pour Delphine, la comparaison avec Pick était justifiée. Il s'agissait d'un pizzaiolo breton qui, dans le secret absolu, avait écrit un grand roman. Un homme qui n'avait jamais cherché à publier. Cela intriguerait tout le monde, à coup sûr. Elle se mit à bombarder son fiancé de questions : « À ton avis, à quel moment écrivait-il ? Quel était son état d'esprit ? Pourquoi n'a-t-il jamais montré son livre ? » Frédéric essayait de répondre, à la manière d'un romancier qui tente de définir la psychologie d'un personnage.

7

Pick arrivait chaque matin très tôt au restaurant, avait précisé Madeleine. Peut-être écrivait-il à ce moment-là, pendant que la pâte à pizza reposait ? Et il rangeait sa machine à écrire quand sa femme arrivait. Ainsi, personne ne pouvait savoir. Tout le monde possède une sorte de jardin secret. Lui, c'était l'écriture. En toute logique, il n'a pas cherché à publier son roman, continua Frédéric. Aucune envie de partager sa passion intérieure avec quiconque. Connaissant cette histoire de bibliothèque des refusés, il avait pu directement y déposer son manuscrit. Mais un détail paraissait incongru à Delphine : pourquoi y avait-il inscrit son nom ? À tout moment, quelqu'un pouvait le lire et faire le rapprochement. Il y avait une incohérence entre cette vie souterraine et le risque d'être ainsi repéré. Il devait sûrement estimer que personne n'irait fouiner au fond de cette bibliothèque. C'était comme une bouteille à la mer. Écrire un livre, le laisser quelque part. Et qui sait ? Peut-être qu'un jour on le découvrirait.

Delphine pensa à un autre détail. Magali lui avait expliqué que les auteurs étaient tenus de venir déposer leurs manuscrits. Il était plutôt étonnant qu'un homme ayant un tel goût du secret se soit plié à cette exigence. Probablement connaissait-il Gourvec, puisqu'ils avaient été voisins pendant un demi-siècle. Quelles étaient leurs relations ? Les bibliothécaires font peut-être un serment, comme les médecins, suggéra Frédéric. Ils seraient ainsi soumis au secret professionnel. Ou alors, Pick avait ajouté en déposant son roman : « Jean-Pierre, je compte sur toi pour ne rien dire quand tu viendras manger une pizza… » Une phrase qui paraît un peu faible pour un surdoué caché de la littérature, mais c'était peut-être ce qui s'était passé.

Delphine et Frédéric prenaient un grand plaisir à échafauder toutes les possibilités, à tenter de définir le roman du roman. L'auteur de *La Baignoire* eut alors une illumination :

« Et si je racontais cette histoire ? Les coulisses de notre découverte.

— Oui, c'est une très bonne idée.

— Je pourrais appeler ça : "Le manuscrit retrouvé à Crozon".

— Belle référence.

— Ou alors : "La bibliothèque des livres refusés". Tu aimes ?

— Oui, c'est encore mieux, répondit Delphine. De toute façon, tant que tu le publies avec moi et pas chez Gallimard, tous les titres me vont. »

8

Le soir même, chez les Despero, le fameux roman était sur toutes les lèvres. Fabienne le trouvait très personnel : « Il paraît tout de même autobiographique, et il se passe dans la région… » Delphine ne s'était pas posé la question de la dimension intime du roman. Elle espérait que Madeleine ne le ressentirait pas ainsi : elle risquerait de s'opposer à la publication. On aurait toujours le temps, plus tard, en fouillant la vie de Pick, d'y découvrir ou non des résonances personnelles. La jeune éditrice décida finalement de considérer la réflexion de sa mère comme un élément encourageant : quand on aime un livre, on veut en savoir davantage. Qu'est-ce qui est vrai? Qu'a réellement vécu l'auteur? Bien plus que pour tous les autres arts, qui sont figuratifs, il y a une traque incessante de l'intime dans la littérature. Léonard de Vinci, contrairement à Gustave Flaubert avec Emma, n'aurait jamais pu dire : « La Joconde, c'est moi. »

Il ne fallait rien anticiper bien sûr, mais Delphine imaginait déjà des lecteurs fouiller dans la vie de Pick. Tout pouvait arriver avec ce livre, elle le sentait, même si rien n'est prévisible. Tant d'échecs ont dû être portés par des éditeurs sûrs de tenir un best-seller; à l'inverse tant de succès ne sont nés d'aucune intention particulière. Pour le moment, il fallait convaincre la veuve de Pick.

Frédéric trouvait drôle de la surnommer *la dame de pique*, mais Delphine n'avait pas envie de rire. Les choses étaient sérieuses. Elle devait signer le contrat. Frédéric cherchait à la rassurer :

« Quelles seraient ses raisons de refuser ? C'est plutôt agréable de découvrir qu'on a passé sa vie sans le savoir avec un Fitzgerald de la pizza…

— Oui sûrement. Mais elle va aussi apprendre qu'elle a vécu avec un inconnu. »

Delphine se doutait du choc qu'elle allait provoquer. Madeleine avait bien dit que son mari ne lisait jamais. Mais Frédéric avait peut-être raison ; on allait lui annoncer une nouvelle valorisante. Après tout, on ne lui révélait pas l'existence d'une autre femme, mais d'un roman[1].

9

En fin de matinée, Delphine et Frédéric sonnèrent chez Mme Pick. Elle ouvrit la porte rapidement, et les fit entrer. Pour éviter d'en venir directement à l'essentiel, on parla un peu de la météo, puis de l'amie malade à qui Madeleine avait rendu visite la veille. Frédéric, qui avait demandé de ses nouvelles, était si peu doué pour paraître intéressé par ce dont il se préoccupait à peine qu'elle lui répondit :

« Ça vous intéresse vraiment ?

— …

— Je vais plutôt préparer un thé. »

Madeleine s'éclipsa en direction de la cuisine,

1. Certains diront que c'est la même chose.

ce qui laissa à Delphine le temps de fusiller son compagnon du regard. En amour, on en vient parfois à se caricaturer. Pour Delphine, Frédéric était devenu le prototype de l'inadapté social ; et lui, il la voyait en ambitieuse démesurée. Elle le sermonna en chuchotant :

« Ce n'est pas le moment de faire ton fayot. Elle aime les rapports francs, ça se voit.

— J'essaye de créer un climat de confiance. Et ne fais pas ta sainte. Je suis sûr que tu as déjà imprimé le contrat.

— Moi ? Non. Il est juste sur mon ordinateur.

— J'en étais sûr, je te connais par cœur. Tu vas lui proposer quoi, comme droits d'auteur ?

— 8 %, avoua-t-elle un peu gênée.

— Et les droits audiovisuels ?

— 50/50. Le taux classique. Tu penses que c'est adaptable ?

— Oui, ça ferait un film formidable. Et peut-être même un remake américain. Ça pourrait se passer vers San Francisco, dans les paysages plongés dans la brume.

— Voilà le thé au caramel », annonça Madeleine en débarquant subitement dans le salon, interrompant ainsi la conversation des deux excités du contrat. Pouvait-elle imaginer que, dans leur dérive rêveuse, ses invités étaient déjà en train de penser à George Clooney pour interpréter son mari ?

Aussi obsédé que la veille par l'horloge, Frédéric se demandait comment on pouvait avoir les idées claires dans un espace soumis à un tel diktat sonore. Il essayait de penser pendant les silences entre les secondes, ce qui était aussi impossible que de marcher entre les gouttes un jour de pluie. Il pensa surtout qu'il valait mieux laisser parler Delphine ; elle savait y faire.

« Connaissez-vous la bibliothèque de Crozon ? commença-t-elle.

— Oui quand même. J'ai bien connu Gourvec d'ailleurs, l'ancien bibliothécaire. C'était un brave homme, un passionné. Mais pourquoi vous me demandez ça ? Vous voulez que j'emprunte un livre ?

— Non, non pas du tout. On vous en parle, car cette bibliothèque a une particularité. Peut-être que vous le savez ?

— Non, je ne sais pas. Bon, arrêtez de tourner autour du pot, et dites-moi enfin ce que vous me voulez. Ce n'est pas comme si j'avais la vie devant moi... », répondit-elle, toujours avec ce ton sarcastique qui désarçonnait ses invités et les empêchait de se laisser aller à sourire.

Delphine se lança alors dans un récit qui n'avait pas le mérite d'entrer directement dans le cœur du sujet. Pourquoi cette jeune femme était-elle venue chez elle pour lui refaire l'histoire de la bibliothèque du coin ? se demandait Madeleine. Cela ne l'étonnait pas de Gourvec, ce projet autour des livres refusés. Par politesse et par respect pour l'âme d'un défunt, elle avait évoqué son caractère passionné. Mais à ses yeux, il était un peu fou. On le jugeait cultivé, mais Madeleine l'avait toujours perçu comme un éternel adolescent incapable de vivre une vie d'adulte. À chaque fois qu'elle l'avait croisé, il lui avait toujours fait penser à un train qui déraille. Et puis, elle savait des choses. Elle avait connu sa femme. Tout le monde avait ergoté sur les raisons de sa fuite, mais Madeleine connaissait la vérité. Elle savait pourquoi la femme de Gourvec était partie.

Quand on voulait obtenir quelque chose, il fallait faire durer les conversations, estimait Delphine. Ainsi enrobait-elle de détails, de pure invention pour certains, l'historique de la bibliothèque. Frédéric la regardait avec une pointe de fascination, se demandant même si ce n'était pas elle qui aurait dû être romancière. Elle brodait avec un sens inouï une époque qu'elle n'avait connue que de très loin. On la sentait animée d'un désir sincère. Enfin, Delphine entra dans le vif du sujet, posant des questions sur Henri. La veuve en parlait comme s'il existait encore. Elle précisa en regardant Frédéric : « Le fauteuil où vous êtes assis, c'était le sien. Personne d'autre n'avait le droit de s'y asseoir. Quand il rentrait tard le soir, il aimait s'y installer. C'était son temps de respiration. J'aimais bien l'observer, avec son air rêveur, ça lui faisait du bien. Faut dire aussi qu'il travaillait tout le temps. Un jour, j'ai voulu essayer de compter le nombre de pizzas qu'il avait faites. Je pense que ça dépassait la dizaine de milliers. Ce n'est pas rien, quand même. Alors voilà, il était bien dans son fauteuil… » Frédéric voulut changer de place, mais Madeleine l'en empêcha : « Cela ne sert à rien, il ne reviendra pas. »

Cette femme qui était apparue à la fois dure et ironique offrait maintenant un visage nettement plus humain et touchant. Cela avait été le même cheminement que la veille. À l'évocation de son mari, elle laissait place à sa vérité, celle de la douleur d'être veuve. Delphine se prit à hésiter ; peut-être la révélation allait-elle trop la déstabiliser ? Un instant, et elle partagea sa pensée d'un regard avec Frédéric, elle eut la tentation de renoncer.

« Mais pourquoi vous me posez toutes ces questions à propos du passé ? » demanda Madeleine.

Sa question demeura sans réponse. Un silence gêné s'installa, et même le bruit de l'horloge parut moins puissant à l'oreille de Frédéric ; ou était-il en train de s'habituer ?

Enfin, Delphine répondit :

« Dans cette bibliothèque des refusés, on a retrouvé un livre écrit par votre mari.

— Par mon mari ? Vous plaisantez ?

— Le manuscrit est signé Henri Pick, et à notre connaissance il n'y a pas d'autre Henri Pick. Et puis, il habitait à Crozon, alors ça ne peut être que lui.

— Mon Henri aurait écrit un livre ? Franchement, ça m'étonnerait. Il ne m'a jamais écrit un mot. Jamais un poème. Ce n'est pas possible. Je ne l'imagine pas du tout écrire !

— Pourtant, c'est bien lui. Peut-être qu'au restaurant, tous les matins, il écrivait un peu.

— Et il ne m'a jamais offert de fleurs.

— Quel est le rapport ? demanda Delphine, surprise.

— Je ne sais pas… je dis ça comme ça… »

Frédéric trouvait très beau le lien avec les fleurs. C'était un enchaînement magnifique dans l'esprit de Madeleine, comme si les pétales étaient la transposition visuelle de l'aptitude à écrire.

10

La vieille femme reprit la conversation, tout en continuant de leur accorder bien peu de crédibilité. Peut-être qu'un homme avait écrit son nom sur le livre, avait utilisé son identité ?

« Ce n'est pas possible. Gourvec n'acceptait que les manuscrits déposés en main propre. Et la date de dépôt remonte au tout début de la création de la bibliothèque.

— Vous voulez que je fasse confiance à Gourvec ? Qui vous dit qu'il n'a pas utilisé, lui, le nom de mon mari ?

— … »

Delphine ne sut que répondre. Après tout, Madeleine n'avait pas tort. Pour l'instant, à part son nom sur le manuscrit, rien ne prouvait que ce roman avait bien été écrit par Pick.

« Votre mari aimait la Russie…, rappela alors Frédéric. C'est ce que vous nous avez dit.

— Oui, et alors ?

— Son roman parle du plus grand poète russe. De Pouchkine.

— Qui ça ?

— Pouchkine. Il est assez peu lu en France. Il faut aimer vraiment la culture russe pour en parler…

— Il ne faut pas exagérer. Ce n'est pas parce qu'il a fait une pizza Staline qu'il s'y connaissait en Poukechine. Je vous trouve vraiment bizarres, tous les deux.

— Le mieux est que vous lisiez le roman, coupa Delphine. Je suis sûre que vous allez retrouver la voix de votre mari. Vous savez, c'est très fréquent que les gens aient une passion secrète, et ne veuillent pas la partager. C'est peut-être même votre cas ?

— Non. J'aime la broderie. Et je ne vois pas pourquoi j'aurais caché ça à Henri.

— Et des secrets ? enchaîna Frédéric. Vous avez forcément caché des choses à votre mari durant votre vie. Tout le monde a ses secrets, non ? »

Madeleine n'aimait pas la tournure que prenait cette conversation. Pour qui se prenaient-ils ? Et cette histoire de roman, elle n'arrivait pas à y croire. Henri… écrivain ? Voyons… Même le menu du jour sur l'ardoise du restaurant, c'était elle qui l'écrivait. Alors comment aurait-il pu théoriser sur un poète russe ? Et une histoire d'amour. C'était ce qu'ils venaient de dire tous les deux. Une histoire d'amour, Henri ? Jamais il ne lui avait écrit un petit mot doux. Alors tout un roman dans sa tête, voyons, ce n'était pas possible. Les seuls mots qu'il lui avait laissés concernaient invariablement la logistique de la pizzeria : « Pense à racheter de la farine ; appelle le menuisier pour les nouvelles chaises ; commande du chianti. » Et c'était cet homme-là qui aurait écrit un roman ? Elle n'y croyait pas ; mais, par expérience, elle savait que les gens pouvaient réserver des surprises. Tant de fois, elle avait entendu des histoires de vies parallèles.

Elle se mit alors à recenser tout ce qu'Henri n'avait pas su d'elle. Sa part intime et inaccessible. Toutes les choses qu'elle avait pu lui cacher ou les arrangements avec la vérité ; il connaissait ses goûts et son passé, ses dégoûts et sa famille, mais le reste lui était étranger. Il ne savait rien de ses cauchemars et de ses envies d'ailleurs, il ne savait rien de l'amant qu'elle avait eu en 1972 et de la douleur de ne l'avoir pas revu depuis, il ne savait pas qu'elle aurait rêvé avoir un autre enfant malgré ce qu'elle disait ; la vérité était tout autre : elle ne pouvait plus tomber enceinte. Plus elle y réfléchissait, plus elle pouvait admettre que son mari la connaissait de manière incomplète. Alors, elle admit aussi que cette histoire de roman pouvait être vraie. Elle avait caricaturé Henri ; certes, il ne lisait pas et semblait ne pas s'intéresser à la littérature, mais elle avait toujours estimé qu'il avait une façon particulière de voir la vie. Elle disait de lui qu'il avait une hauteur d'esprit; il ne jugeait jamais les gens, prenant toujours son temps avant d'émettre un avis sur quiconque. C'était un homme qui avait un grand sens de la mesure, à l'aise avec l'idée de s'extraire du monde pour le comprendre. En affinant son portrait, elle réduisait l'impossibilité d'imaginer son mari en écrivain.

Quelques minutes plus tard, elle se dit même que c'était possible. Oui, improbable, mais possible. Et puis, il y avait un autre élément à prendre en considération : elle aimait cette manifestation du passé. Elle avait envie de croire à n'importe quoi qui lui permette d'être à nouveau en contact avec Henri; comme d'autres s'adonnent au spiritisme. Peut-être qu'il avait laissé ce roman pour elle? Pour revenir par surprise. Pour lui dire qu'il était encore là; ce roman, c'était pour lui chuchoter à l'oreille sa présence; c'était pour que leur passé puisse vivre encore. Alors, elle demanda : «Est-ce que je peux lire son livre?»

11

Sur le chemin du retour vers Morgat, Frédéric tempéra la déception de sa fiancée. Ce n'était pas plus mal, qu'on n'ait pas immédiatement discuté d'une publication. Il fallait avancer en douceur, lui permettre d'admettre progressivement une telle révélation. Une fois le roman lu, elle n'aurait plus le moindre doute. On ne pouvait laisser un tel livre plus longtemps dans l'ombre. Elle éprouverait une immense fierté, sûrement, d'avoir accompagné l'homme qui avait écrit ce roman ; elle pourrait toujours dire qu'elle en était l'inspiratrice. Il n'y a pas d'âge pour commencer une carrière de muse.

12

Les lecteurs se retrouvent toujours d'une manière ou d'une autre dans un livre. Lire est une excitation totalement égotique. On cherche inconsciemment ce qui nous parle. Les auteurs peuvent écrire les histoires les plus farfelues ou les plus improbables, il se trouvera toujours des lecteurs pour leur dire : « C'est incroyable, vous avez écrit ma vie ! »

En ce qui concerne Madeleine, ce sentiment était compréhensible. C'était peut-être son mari qui avait écrit le roman. Alors elle traquait, plus que quiconque, les résonances avec leur vie. Elle fut désarçonnée par sa façon de décrire la côte bretonne, plutôt sommaire pour un homme qui avait cette région dans le sang. C'était sûrement une manière de dire que le décor importe peu. Ce qui compte c'est l'intimité, la précision des émotions. Et il y en avait tant. Elle était surprise par les descriptions sensuelles, pour ne pas dire érotiques. Aux yeux de Madeleine, son mari lui avait toujours paru attentif mais un peu rustre ; bienveillant mais pas vraiment romantique. Dans le roman, il y avait une telle délicatesse de sentiment entre les personnages. Et c'était si triste. On s'enlace avant de se délaisser. On se touche avec une frénésie désespérée. Pour parler des dernières heures d'un amour, l'auteur emploie la métaphore d'une bougie qui se consume lentement, dans une agonie de lumière. La flamme résiste d'une manière impérieuse, on la croit morte mais non, sa survivance est si belle, elle dure des heures en continuant d'abriter l'espoir.

Comment l'expression d'une telle intensité avait-elle pu éclore chez son mari ? À vrai dire, la lecture du roman replongeait Madeleine dans le début de leur propre histoire d'amour. Tout lui revenait maintenant. Elle se souvint que, l'été de ses dix-sept ans, elle avait dû partir avec ses parents pendant deux mois dans le nord de la France, pour aller voir de la famille. Ils étaient déjà amoureux, et la séparation avait été si douloureuse. Alors, ils étaient restés enlacés toute une après-midi, à tenter de tout mémoriser l'un de l'autre, à se promettre de penser en permanence à leur amour. Cet épisode lui était complètement sorti de la tête. Pourtant, il était fondateur.

Cette longue séparation contrainte avait renforcé leur amour. En se retrouvant, en septembre, ils s'étaient promis de ne plus jamais se quitter.

Madeleine était profondément touchée. Son mari avait conservé en lui cette peur de la perdre, et l'avait retranscrite plus tard par des mots. Elle ne comprenait pas pourquoi il n'avait rien voulu lui montrer, mais sans doute avait-il ses raisons. C'était certain à présent. Henri avait écrit un livre. Madeleine délaissait son incrédulité initiale pour s'abandonner à cette nouvelle réalité.

13

Dès la lecture achevée, Madeleine téléphona à Delphine. Sa voix avait changé, infiltrée par l'émotion. Elle tenta de dire que le roman était beau, mais elle n'y parvint pas. Elle préféra inviter à nouveau le jeune couple à lui rendre visite le lendemain.

Pendant la nuit, elle s'était réveillée pour relire quelques pages ici ou là. Avec ce roman, Henri revenait la voir presque deux ans après sa mort, comme pour lui dire : « Ne m'oublie pas. » C'était ce qu'elle avait fait, pourtant. Non pas totalement bien sûr ; elle pensait souvent à lui. Mais, au fond, elle s'était habituée assez bien à vivre seule. On avait vanté sa force et son courage, mais cela n'avait pas été si dur. Elle s'était préparée à l'échéance fatale, et l'avait accueillie d'une manière presque paisible. On s'habitue plus facilement que prévu à ce qui paraît insoutenable. Et voilà qu'il revenait à elle sous la forme d'un roman.

Face au jeune couple, Madeleine tenta de mettre des mots sur ce qu'elle ressentait :

« Ça fait quand même bizarre qu'Henri revienne comme ça. J'ai l'impression de le découvrir.

— Non, vous ne pouvez pas dire ça, répondit Delphine. C'était son secret. Il n'avait pas confiance en lui, sûrement.

— Vous croyez ?

— Oui. Ou alors il ne vous a rien dit, car il voulait vous faire une surprise. Mais comme personne n'a voulu le publier, il a rangé son livre dans un coin. Et plus tard, quand Gourvec a lancé sa bibliothèque des refusés, il s'est dit que c'était parfait pour lui.

— Peut-être. En tout cas, je n'y connais pas grand-chose, mais j'ai trouvé ça beau. Et l'histoire du poète est très intéressante aussi.

— Oui, c'est vraiment un roman magnifique, répéta Delphine.

— Je crois qu'il s'est inspiré de notre séparation pendant deux mois, quand on avait dix-sept ans, ajouta Madeleine.

— Ah bon ? demanda Frédéric.

— Oui. Enfin, il a changé beaucoup de choses.

— C'est normal, dit Delphine. C'est un roman.

Mais si vous dites que vous vous y êtes retrouvée, alors maintenant il n'y a plus de doute.

— Sûrement.

— Vous semblez douter encore ?

— Je ne sais pas. Je suis un peu perdue.

— Je comprends », dit Delphine en posant sa main sur celle de Madeleine.

Au bout d'un moment, la vieille femme reprit : « Mon mari a laissé plein de cartons dans le grenier. Moi, je ne peux pas y monter. Mais quand il est mort, Joséphine avait jeté un œil.

— C'est votre fille ? demanda Delphine.

— Oui.

— Et elle avait trouvé des choses intéressantes ?

— Non. Elle m'a dit qu'il y avait surtout des livres de comptabilité et les archives du restaurant. Mais il faudra qu'on y retourne. Elle n'est passée que rapidement. Il a peut-être laissé une explication ou un autre livre.

— Oui, il faudra aller voir », confirma Frédéric avant de s'éclipser en direction des toilettes. À vrai dire, il voulait laisser Delphine seule avec Madeleine car il sentait qu'elle allait maintenant parler de la publication.

Frédéric erra un peu dans la maison, examinant la chambre à coucher. Il y repéra des chaussons d'homme, sûrement ceux d'Henri[1]. Il les fixa un

1. Est-ce qu'une femme conserverait ses chaussons à lui après sa mort ? se demanda-t-il.

moment, et de cette vision naquit celle de Pick. Il était comme Bartleby, le héros d'Herman Melville. Ce copiste qui clame sans cesse *préférer ne pas vouloir faire*, dans sa volonté tenace de s'extraire de toute action. Ce personnage est devenu le symbole du renoncement. Frédéric avait toujours aimé cette figure de la contestation sociale, et s'en était inspiré pour *La Baignoire*. On pouvait dire la même chose de Pick. Il y avait une forme de refus du monde dans son attitude, comme s'il était animé par une ambition de l'ombre, à contre-courant d'une époque où chacun recherche la lumière.

QUATRIÈME PARTIE

1

Dans les couloirs de la maison d'édition commençait à bruisser la rumeur d'un livre événement. Delphine avait compris qu'il fallait en parler le moins possible en amont, laisser un mystère s'installer, et pourquoi pas quelques contrevérités. On lui demandait de quoi il s'agissait, et elle répondait simplement : c'est un auteur breton mort. Certaines phrases ont le don de mettre fin à une conversation.

2

Frédéric faisait mine d'être jaloux : « Tu n'en as que pour Pick, en ce moment. Et mon *lit*, il ne t'intéresse plus ? » Delphine le rassurait parfois avec des mots, parfois avec son corps. Elle s'habillait comme il voulait, pour qu'il la déshabille comme elle voulait. Leur désir ne nécessitait pas d'artifices pour demeurer intense ; et l'amour physique continuait d'être leur conversation la plus aisée. Le temps courait depuis leur rencontre ; une accélération où les minutes n'ont pas toujours la possibilité de respirer. Ainsi, la lassitude paraissait être un territoire inaccessible.

À d'autres moments, il fallait trouver les mots. Cette jalousie de Frédéric à l'égard de Pick revenait souvent. Delphine était agacée par les puérilités passagères de son fiancé. L'excès d'écriture peut rendre infantile. Quand il jouait les incompris, elle avait envie de le secouer. Mais au fond, elle aimait ses peurs. Elle se sentait utile à cet homme ; elle percevait ses fragilités non pas comme des failles incommensurables mais plutôt des plaies superficielles. Frédéric était un faux faible ; sa force se cachait derrière ses errances. Pour écrire, il avait besoin de ces deux énergies contradictoires. Il se sentait perdu et mélancolique, mais une ambition terrestre lui collait au cœur.

Un autre élément à préciser : Frédéric détestait les rendez-vous. Rien ne le fatiguait davantage que cette idée de voir quelqu'un et d'aller dans un café pour discuter. Il jugeait incongrue cette façon qu'ont les êtres humains de se retrouver pour se résumer le temps d'une heure ou deux. Il préférait converser avec la ville, c'est-à-dire marcher. Après avoir écrit pendant la matinée, il arpentait les rues, tentant de tout observer et surtout les femmes. Il lui arrivait de passer devant une librairie, et c'était toujours aussi acide. Il pénétrait dans ce lieu censé déprimer quiconque publie un roman, se faisait du mal en recherchant son livre. Bien sûr, on ne trouvait plus nulle part *La Baignoire* ; mais peut-être qu'un libraire aurait oublié de le retourner à l'éditeur ou aurait eu envie de le conserver dans ses rayonnages ? Il cherchait simplement une preuve de son existence, tenaillé qu'il était par le doute. Avait-il vraiment publié un livre ? Il avait besoin d'une morsure de la réalité pour en être certain.

Un jour, il croisa par hasard une ancienne petite amie, Agathe. Il ne l'avait pas vue depuis plus de cinq ans. C'était une autre époque. En la revoyant, il plongea mentalement dans un temps où il n'était pas le même homme. Agathe avait été témoin du Frédéric inachevé : une sorte de brouillon de lui. Elle était plus belle aujourd'hui, comme si elle n'avait pas été épanouie à ses côtés. Leur rupture n'avait pas été dramatique, mais plutôt le fruit d'un commun accord. Expression froide qui assimile le couple à un contrat, et qui évoque finalement le commun accord du manque d'amour. Ils s'entendaient plutôt bien mais ne s'étaient jamais revus après leur séparation. Ils avaient cessé de s'appeler, cessé de se donner des nouvelles. Il n'y avait plus rien à dire. Ils s'étaient aimés et puis ils ne s'étaient plus aimés.

Vint forcément le moment de la question du présent : « Qu'est-ce que tu deviens ? » demanda Agathe. Frédéric eut envie de répondre : « Rien », mais choisit finalement d'évoquer l'écriture de son second roman. Elle s'illumina : « Ah bon ? Tu as publié un livre ? » Elle semblait heureuse qu'il ait enfin réalisé son rêve, sans se douter qu'elle venait de le transpercer. Si même cette femme qu'il avait aimée, avec qui il était resté presque trois ans, dont il se rappelait parfaitement l'odeur des aisselles, ne savait pas qu'il avait publié *La Baignoire*, l'échec devenait insoutenable. Il fit mine d'avoir été heureux de ces retrouvailles impromptues, et repartit sans lui poser de questions. Elle pensa qu'il n'avait pas changé, que tout tournait toujours autour de lui. Elle ne pouvait pas se douter qu'elle venait de lui faire si mal.

C'était une blessure narcissique d'un nouvel ordre ; elle touchait ce qu'on pouvait appeler *le cercle intime*. En quelque sorte, il interdisait à Agathe d'ignorer qu'il avait publié un roman. Abasourdi lui-même par l'importance qu'il accordait à cette information, il avait préféré mettre un terme à leur échange. Puis, subitement, il se mit en tête de la rattraper. Heureusement, elle marchait lentement ; cela n'avait pas changé. Agathe avait toujours cette façon d'avancer comme on lit un roman sans rien survoler. Arrivé à sa hauteur, il l'observa pendant quelques secondes avant de prononcer son prénom près de son oreille. Elle se retourna, effrayée :

« Oh, c'est toi ! Tu m'as fait peur.
— Oui, excuse-moi. Je me suis dit que cela avait été trop court. Tu ne m'as rien raconté sur toi. Tu ne voudrais pas qu'on prenne un café ? »

3

Madeleine avait tout de même du mal à accepter l'idée que son mari ne lui ait rien dit de sa passion littéraire. Son passé avait pris une autre tonalité, à la manière d'un tableau ou d'un paysage que l'on regarde du point de vue opposé. Elle se sentait gênée, et hésitait à mentir. Elle pourrait très bien dire que, finalement, elle savait qu'Henri avait écrit un livre. Qui la contredirait ? Et puis non, elle ne pouvait pas faire ça. Elle devait respecter son désir de silence. Mais pourquoi lui avait-il tout caché ? Ces quelques pages entre eux créaient un fossé. Elle se doutait bien qu'il n'avait pas écrit un tel livre en deux semaines. Cela avait dû représenter des mois, peut-être même des années de travail. Chaque jour, il avait vécu avec cette histoire dans son esprit. Et le soir, quand ils se couchaient l'un contre l'autre, il devait encore penser à son roman. Mais quand il lui parlait, c'était toujours pour évoquer des problèmes avec des clients ou des fournisseurs.

Une autre question la hantait : est-ce qu'Henri aurait souhaité la publication de son roman ?

Après tout, il l'avait déposé dans cette bibliothèque au lieu de s'en débarrasser. Il devait espérer être lu mais rien n'était sûr. Que pouvait-elle savoir de ce qu'il voulait ou pas ? Tout était confus à présent. Au bout d'un moment, elle pensa que ce serait une façon de le faire revivre. C'était finalement la seule idée qui comptait. On parlerait de lui, et il serait vivant à nouveau. C'est le privilège des artistes, entraver la mort en laissant des œuvres. Et si ce n'était que le début ? Avait-il semé dans sa vie d'autres actes que l'on découvrirait plus tard ? Il était peut-être de ces hommes qui prennent toute leur dimension dans l'absence.

Depuis son décès, elle n'avait jamais voulu monter au grenier. Henri y avait stocké des cartons, des choses accumulées au fil des années. Elle ne savait même pas précisément ce qui s'y trouvait. Joséphine était passée trop rapidement la dernière fois ; il fallait fouiller davantage. Elle y trouverait peut-être un autre roman ? Mais monter était compliqué. Cela nécessitait de grimper sur un escabeau, ce qu'elle ne pouvait pas faire. Elle songea : ça a dû l'arranger ; il a pu y mettre tout ce qu'il voulait, certain que je n'irais pas. Elle avait besoin de sa fille. Elle en profiterait pour lui parler enfin du roman de son père. Madeleine avait été dans l'impossibilité d'aborder le sujet avant. Certes, elles ne se parlaient pas souvent, mais une telle révélation aurait pu être partagée plus tôt. La vérité était la suivante : l'histoire du roman avait plongé Madeleine dans une nouvelle relation à son mari, une relation à deux dans laquelle elle n'arrivait pas à intégrer la présence de leur fille. Mais elle ne pouvait pas la tenir à l'écart plus longtemps. Le livre serait bientôt publié. Joséphine allait forcément réagir comme elle, se laisser envahir par la stupéfaction. Madeleine redoutait ce moment pour une raison annexe : sa fille l'épuisait.

4

À un peu plus de cinquante ans, depuis son divorce, Joséphine se laissait complètement aller. Elle ne pouvait pas aligner deux phrases sans souffler. Quelques années auparavant, quasi simultanément, ses deux filles et son mari avaient quitté le foyer. Les deux premières pour vivre leur vie, et le second pour vivre sans elle. Après avoir tout donné, lui semblait-il, pour construire un quotidien épanouissant pour chacun, elle se retrouvait seule. Les effets de choc émotionnel fluctuaient entre mélancolie et agressivité. Il y avait quelque chose d'affligeant à voir cette femme connue pour son énergie et son franc-parler s'enfoncer dans une humeur grise. Il aurait pu s'agir d'une crise passagère, une épreuve à surmonter, mais la douleur s'enracinait, greffant une nouvelle peau triste et amère sur son corps. Heureusement, elle aimait son travail. Elle tenait un magasin de lingerie, et y passait ses journées dans un cocon la protégeant de la brutalité.

Ses deux filles étaient parties ouvrir un restaurant ensemble à Berlin, et Joséphine leur avait rendu visite quelquefois. En déambulant dans cette ville à la fois moderne et marquée par les cicatrices du passé, elle avait admis qu'on pouvait dépasser les ravages non pas en les oubliant mais en les acceptant. On pouvait composer un bonheur sur un fond parsemé de souffrances. Mais c'était plus facile à dire qu'à vivre, et les humains avaient moins de temps que les villes pour se rebâtir. Joséphine parlait souvent avec ses filles au téléphone, mais ce n'était pas réconfortant ; elle voulait les voir. Son ex-mari l'appelait aussi de temps en temps, pour prendre de ses nouvelles, mais cela ressemblait à une corvée, une sorte de service après-vente de la rupture. Il minimisait le bonheur de sa nouvelle vie, alors qu'il était profondément heureux sans elle. Bien sûr, il n'aimait pas penser aux dégâts qu'il avait laissés derrière lui, mais vient un âge où l'urgence empêche de refuser le plaisir.

Et puis leurs discussions s'étaient espacées, pour finalement ne plus exister. Cela faisait maintenant plusieurs mois que Joséphine n'avait pas parlé à Marc. Son prénom même, elle se refusait à le prononcer. Elle ne voulait plus qu'il soit dans sa bouche : c'était sa victoire minuscule contre son propre corps. Mais il encombrait en permanence son esprit. Et Rennes aussi, où ils avaient toujours vécu, et où il vivait avec sa nouvelle compagne. Celui qui quitte devrait au moins avoir la délicatesse de déménager. Joséphine ressentait sa ville comme la complice de sa tragédie sentimentale. La géographie prend toujours le parti des vainqueurs. Joséphine vivait dans la peur de croiser son ex-mari, d'être le témoin hasardeux de son bonheur, alors elle ne quittait plus son quartier, *la capitale de sa douleur*.

À cette perte, il fallait ajouter la mort de son père. Il était difficile de dire qu'ils avaient été proches, car il était un économe de la tendresse. Mais il avait toujours été une présence protectrice. Enfant, elle passait des heures au restaurant à le regarder faire des pizzas. Il en avait même conçu une spécialement pour elle, avec du chocolat, qu'il avait baptisée Joséphine. Elle était fascinée par ce père capable d'affronter si bravement l'immense fourneau. Et Henri aimait sentir le regard admiratif de sa fille. Aux yeux d'un enfant, c'est si facile d'être un héros. Joséphine repensait souvent à ce temps perdu ; jamais plus elle ne pourrait entrer dans une pizzeria. Elle aimait l'idée que ses filles aient repris le flambeau de la restauration, en faisant des crêpes bretonnes pour les Allemands. Ainsi se construisait le fil d'une famille. Mais que restait-il maintenant ? Sa douleur sentimentale avait accentué le manque de son père. Peut-être qu'en posant sa tête contre son épaule tout aurait pu s'arranger, comme avant. Son corps comme un rempart à tout. Son corps qui apparaissait parfois lors de rêves qui semblaient si réels ; mais jamais il ne parlait, lors de ses visites nocturnes. Il survolait ses songes comme il l'avait fait de sa vie, dans un silence rassurant.

Joséphine appréciait cette qualité chez son père : il ne perdait pas son temps à critiquer les gens. Il n'en pensait sûrement pas moins, mais il ne dilapidait pas inutilement son énergie. On pouvait l'estimer introverti, mais sa fille l'avait toujours considéré plutôt comme une sorte de sage en décalage avec le monde. Et voilà qu'il n'était plus là. Il se décomposait dans le cimetière de Crozon. C'était son cas, à elle aussi. Elle vivait, mais sa raison de vivre était enterrée. Marc ne voulait plus d'elle. Certes, Madeleine avait été attristée par cette rupture, mais elle ne comprenait pas pourquoi sa fille ne passait pas à autre chose. Issue d'une famille très modeste, et ayant traversé la guerre, les larmoiements sentimentaux lui paraissaient être des privilèges contemporains. Il fallait *refaire sa vie* au lieu de pleurnicher. Cette dernière expression horripilait Joséphine. Qu'avait-elle raté pour qu'on lui demande de refaire quoi que ce soit ?

Depuis peu, elle s'était mise à fréquenter la paroisse de son quartier ; elle trouvait dans la religion un léger réconfort. À vrai dire, ce n'était pas la croyance qui l'attirait, mais le décor. C'était un lieu intemporel, qui n'était pas soumis à la brutalité des aléas de la vie. Elle croyait moins en Dieu qu'en la maison de Dieu. Ses deux filles s'inquiétaient de cette transformation, la jugeant peu compatible avec l'ancien pragmatisme prononcé de leur mère. À distance, elles la poussaient à sortir, à conserver une vie sociale, mais elle demeurait éteinte. Pourquoi les proches veulent-ils à tout prix qu'on cicatrise ? On a le droit de ne pas se remettre d'un chagrin d'amour.

Pour faire plaisir à des amies, elle avait tout de même accepté quelques rendez-vous arrangés. Chaque fois, cela avait été sinistre. Il y avait eu cet homme qui, en la raccompagnant en voiture, avait mis sa main entre ses cuisses cherchant maladroitement son clitoris avant même de l'embrasser. Surprise par cette attaque pour le moins abrupte, elle l'avait brutalement repoussé. Pas découragé, il lui avait alors soufflé des mots crus pour ne pas dire dégueulasses au creux de l'oreille, pensant l'exciter. Joséphine était partie dans un fou rire. Ce n'était pas le chemin prévu, mais quel bonheur : il y avait si longtemps qu'elle n'avait pas ri comme ça. Elle était descendue de la voiture en continuant de rire. L'homme s'en était sûrement voulu d'avoir précipité un peu les choses, regrettait de lui avoir proposé de la menotter dès le premier soir, mais il avait lu que les femmes adoraient ça.

5

Sur la route, Joséphine repensa aux paroles de sa mère : « Il faut que tu viennes me voir, c'est urgent. » Elle n'avait rien voulu lui dire au téléphone. Elle avait simplement précisé que rien de grave n'était arrivé. C'était une situation plutôt rare, pour ne pas dire inédite. Madeleine ne demandait jamais rien à sa fille ; à vrai dire, elles parlaient assez peu toutes les deux. C'était la meilleure chose à faire pour ne pas trop marquer leurs différences, et éviter des disputes. Le silence demeure le meilleur antidote aux désaccords. Si Madeleine était lasse des complaintes de sa fille, Joséphine aurait simplement aimé un geste de tendresse, que sa mère la prenne dans ses bras. Il ne fallait pas forcément voir un rejet dans cette apparente froideur. C'était une question de génération. On ne s'aime pas moins, mais on le montre moins.

Quand Joséphine revenait à Crozon, elle dormait dans la chambre de son enfance. Chaque fois, les souvenirs remontaient ; elle se revoyait en petite fille malicieuse, en adolescente ronchonne, ou en jeune femme provocante. Toutes les Joséphine étaient là, comme dans la rétrospective d'une œuvre. Rien ne changeait, ici. Même sa mère lui paraissait toujours cette éternelle femme sans âge. Et c'était encore le cas aujourd'hui.

Joséphine embrassa sa mère en lui demandant aussitôt quelle était l'urgence. Cette dernière préféra prendre son temps, préparer du thé et s'installer tranquillement.

« J'ai appris quelque chose sur ton père.

— Quoi ? Ne me dis pas qu'il a un autre enfant.

— Mais non, pas du tout.

— Alors quoi ?
— On a découvert qu'il a écrit un roman.
— Papa ? Un roman ? N'importe quoi.
— C'est pourtant la vérité. Je l'ai lu.
— Il n'a jamais écrit. Même sur les cartes d'anniversaire, c'était toujours ton écriture. Jamais une carte postale, rien. Et tu veux me faire croire qu'il a écrit un roman ?
— Je te dis que c'est la vérité.
— Ah oui, je connais cette méthode. Tu me crois ultra-dépressive, alors tu dis n'importe quoi pour me faire réagir. J'ai lu un article sur ça, c'est la "mythothérapie", c'est ça ?
— …
— Je ne vois pas en quoi ça te gêne que je voie la vie en noir. C'est ma vie, c'est comme ça. Toi, tu es tout le temps joyeuse. Les gens t'adorent, avec ton caractère formidable. Eh bien, excuse-moi de ne pas être comme toi. Je suis faible, anxieuse, sinistre. »

Pour toute réponse, Madeleine se leva pour aller chercher le manuscrit, qu'elle tendit à sa fille.
« C'est bon… tu arrêtes ton cinéma ? Voilà le livre.
— Mais… c'est quoi ? Des recettes ?
— Non. C'est un roman. Une histoire d'amour.
— Une histoire d'amour ?
— Et le livre va être publié.
— Quoi ?
— Oui, je te raconterai tous les détails plus tard.
— …

— Je voulais que tu viennes pour monter au grenier. Tu y étais déjà allée, mais rapidement. Peut-être qu'en regardant mieux on trouvera d'autres choses. »

Joséphine ne répondit pas, hypnotisée par la première page du manuscrit. Avec le nom de son père en haut : Henri Pick. Et le titre du livre au milieu :

Les Dernières Heures d'une histoire d'amour

6

Joséphine resta un long moment interdite, entre incrédulité et stupéfaction. Madeleine comprit que l'exploration du grenier devrait attendre. Surtout que sa fille venait de commencer les premières pages du livre. Elle qui lisait si peu, pour ne pas dire jamais. Elle préférait les magazines féminins ou la presse people. Le dernier livre qu'elle avait lu, c'était celui de Valérie Trierweiler : *Merci pour ce moment*. Forcément, le sujet lui avait parlé. Elle s'était complètement retrouvée dans le combat de cette femme bafouée. Si elle avait pu, elle aurait écrit un livre sur Marc. Mais ce con n'intéressait personne. Bien sûr, elle trouvait que l'ex-compagne de François Hollande allait trop loin ; mais cette femme ne s'encombrait plus de ce qu'on pouvait penser d'elle. L'expression de sa souffrance, sous ce qui prenait l'apparence d'une vengeance, était devenue plus importante que sa propre image. Elle était une kamikaze de l'amour, préférant tout brûler avec son passé. Seule la douleur peut vous emporter sur ce terrain-là. Joséphine la comprenait. Elle aussi se mettait en danger parfois, dans sa relation avec les autres femmes, ou en épuisant son entourage par l'expression incessante de ses déboires intimes. Autant de sentiments qui propulsent vers la confusion. L'homme détesté devient une entité noire à la réalité déformée, un monstre à la mesure du désarroi de la femme blessée ; un homme qui n'existe plus vraiment tel qu'il est décrit ou pensé.

Joséphine continuait à lire sans difficulté. Elle ne reconnaissait pas la voix de son père, mais avait-elle pu imaginer qu'il soit capable d'écrire un livre ? Non. Pourtant, ce qu'elle ressentait faisait écho à un sentiment qu'elle n'avait jamais pu définir. Elle avait souvent éprouvé la sensation de ne pas savoir ce qu'il pensait. Il lui semblait insondable, et cela s'était accentué les dernières années, après qu'il avait pris sa retraite. Il passait des heures à contempler la mer, comme arrêté en lui-même. En fin de journée, il allait boire des bières avec les habitués du coin sans jamais sembler saoul. À chaque fois qu'il croisait une connaissance dans la rue, Joséphine avait remarqué qu'ils ne se disaient pas grand-chose, des bribes de phrases pas toujours distinctes, et elle était persuadée que les fins de journée au café servaient surtout à tromper l'ennui. Elle pensait maintenant que tous ses silences, sa façon de s'effacer progressivement du monde, avaient peut-être caché une nature poétique.

Joséphine dit que l'histoire lui faisait penser au film de Clint Eastwood *Sur la route de Madison.*

« À qui ? Sur la route de qui ? interrogea sa mère.

— Laisse tomber…

— On monte au grenier ?

— Oui.

— Alors, lève-toi.

— Je n'en reviens pas de toute cette histoire.

— Moi non plus.

— On ne connaît jamais personne, et surtout pas les hommes », dit Joséphine, incapable de passer plus de deux minutes sans tout rapporter à sa propre vie.

Elle alla enfin chercher le petit escabeau nécessaire pour rejoindre le grenier. Elle souleva la trappe et accéda, pliée en deux, à ce recoin poussiéreux de la maison. Son regard fut aussitôt attiré par un petit cheval de bois sur lequel elle se balançait, enfant. Puis elle vit un tableau d'écolier. Elle avait oublié que ses parents avaient tout conservé du passé. Jeter quoi que ce soit n'était pas dans leur nature. Elle retrouva aussi toutes ses poupées, dont l'étrange particularité était de ne pas être habillées ; elles étaient toutes en petite culotte. C'est fou comme j'avais déjà l'obsession des sous-vêtements, pensa Joséphine. Un peu plus loin, elle aperçut une pile de tabliers de cuisine de son père. Une vie professionnelle résumée en quelques morceaux de tissu. Enfin, elle vit les cartons dont sa mère avait parlé. Elle ouvrit le premier d'entre eux, et il ne lui fallut pas plus de quelques secondes pour y faire une découverte cruciale.

CINQUIÈME PARTIE

1

Delphine expliqua la teneur du projet aux représentants commerciaux des éditions Grasset. Ces hommes et ces femmes arpenteraient la France pour annoncer aux libraires qu'un livre très particulier allait être publié. Pour la jeune éditrice, cette première présentation en public était un test majeur. Ils n'avaient pas encore lu le roman ; comment allaient-ils réagir à la genèse de cette publication ? Elle avait demandé à Olivier Nora, le patron de la maison d'édition, de bénéficier d'un peu plus de temps que d'habitude pour raconter tous les détails de l'histoire. D'emblée, le roman du roman aurait une importance capitale. Il avait bien sûr accepté, enthousiasmé comme rarement lui aussi par ce projet. Stupéfait, il avait répété plusieurs fois : « Tu étais en vacances chez tes parents, et tu as découvert une bibliothèque des livres refusés ? C'est incroyable… » Habituellement d'une grande élégance, et d'une maîtrise de soi un peu britannique, il s'était frotté les mains avec la jubilation d'un enfant qui vient de gagner aux billes.

Le plaisir de présenter le roman de Pick rendait Delphine encore plus rayonnante. Perchée sur de hauts talons, elle dominait la salle de réunion, sans pourtant l'écraser. Elle parlait avec assurance et douceur. Elle semblait sûre d'avoir découvert un auteur rare caché derrière ce pizzaiolo mort. Tout le monde parut très motivé à l'idée de défendre cette publication. On évoqua aussitôt une mise en place impressionnante, rarissime pour un premier roman. « Toute la maison y croit », annonça Olivier Nora. Un représentant évoqua le fait qu'il se souvenait de cette bibliothèque en Bretagne. Il avait lu un article sur le sujet très longtemps auparavant. Sabine Richer, responsable de la région Touraine et férue de littérature américaine, parla du roman de Richard Brautigan qui était à l'origine de cette idée. C'était un livre qu'elle adorait, une épopée pour rejoindre le Mexique, un road book qui est l'occasion pour l'auteur de porter un regard ironique sur la Californie des années 1960. Jean-Paul Enthoven, éditeur et écrivain chez Grasset, salua de manière particulièrement élogieuse l'érudition de Sabine. Elle se mit alors à rougir.

Delphine n'avait jamais assisté à une telle présentation. Souvent, les heures studieuses s'enchaînaient de façon fastidieuse, chacun notant les détails des livres à venir. Cette fois, il se passait quelque chose. On la bombardait de questions. Un homme engoncé dans un costume trop petit demanda :

« Et pour la promotion, vous allez faire comment ?

— Il y a sa femme. Une vieille Bretonne de quatre-vingts ans, pleine d'humour. Elle ne savait rien de la vie secrète de son mari, et je peux vous dire qu'elle est bouleversante quand elle en parle.

— Et il a écrit d'autres livres ? demanda le même homme.

— A priori non. Sa femme et sa fille ont fouillé tous ses cartons. Il n'y avait aucun autre manuscrit.

— En revanche, reprit Olivier Nora, elles y ont fait une découverte importante, n'est-ce pas Delphine ?

— Oui. Elles ont trouvé un livre de Pouchkine : *Eugène Onéguine*.

— En quoi est-ce important ? s'interrogea un autre représentant.

— Parce que Pouchkine est au cœur de son roman. Et dans le livre que sa femme a découvert, Pick avait souligné des phrases. Il faut que je récupère l'exemplaire. Il a peut-être laissé des indices, ou voulu exprimer quelque chose en marquant ces passages.

— J'ai le sentiment que nous ne sommes pas au bout de nos surprises, finit par dire Olivier Nora, comme pour accentuer davantage l'intérêt général.

— *Eugène Onéguine* est un roman-poème sublime, reprit Jean-Paul Enthoven. Il y a quelques années, une femme russe me l'a offert. Une femme délicieuse et très cultivée d'ailleurs. Elle a tenté de m'expliquer la beauté de la langue de Pouchkine. Aucune traduction ne peut retranscrire cela.

— Et il parlait russe, votre Pick ? s'enquit un autre représentant.

— Pas à ma connaissance, mais il adorait la Russie. Il a même créé une pizza Staline, ajouta Delphine.

— Et vous voulez qu'on présente le livre aux librairies avec cet argument ? » gloussa le même homme, déclenchant un fou rire collectif.

La réunion continua ainsi un bon moment, autour de ce roman si particulier. On laissa assez peu de place aux autres ouvrages qui sortiraient à la même période. C'est souvent ainsi que se décide la vie d'un livre ; tous ne partent pas avec les mêmes chances. L'enthousiasme de l'éditeur est déterminant, il a des enfants préférés. Pick serait le roman majeur du printemps pour Grasset, en espérant que son succès se prolonge en été. Olivier Nora n'avait pas envie d'attendre septembre pour le publier à la rentrée littéraire, et concourir ainsi pour les grands prix de l'automne. C'était une période trop violente et agressive ; et il était probable que personne n'y verrait une belle histoire, mais plutôt une tentative de faire un coup d'édition à la Romain Gary. Tout le monde se demanderait qui se cache derrière Pick, alors qu'il n'y avait rien à découvrir. C'était simplement une histoire incroyable de dénicher un roman dans de telles conditions. Et il fallait bien croire, parfois, aux histoires incroyables.

2

Hervé Maroutou profita d'un court silence pour aborder un point qu'il estimait important. Depuis des années, il arpentait l'est de la France trois jours par semaine, et avait tissé des liens amicaux avec de nombreux libraires. Il connaissait les goûts de chacun, ce qui lui permettait de personnaliser ses présentations de catalogue. Le représentant est un maillon essentiel de la chaîne du livre, le lien humain avec la réalité, et souvent : avec une réalité en souffrance. Année après année, au fil des fermetures de librairie, sa tournée se raccourcissait ; c'était sa peau de chagrin à lui. Que resterait-il bientôt ?

Les combattants du livre émerveillaient Maroutou. Ensemble, ils formaient un rempart au monde qui arrivait, ce monde qui n'était ni meilleur ni moins bon, mais qui semblait ne plus ériger le livre comme valeur essentielle de la culture. Hervé croisait souvent ses concurrents, et avait noué un lien particulier avec Bernard Jean, son homologue du groupe Hachette. Ils se retrouvaient dans les mêmes hôtels pour partager le menu tout compris « spécial représentants » que proposaient certains

Ibis. Au moment du dessert[1], Hervé évoqua Pick. Bernard Jean répondit : « Ce n'est pas un peu bizarre de publier un auteur refusé ? » Cette réaction, à l'instant précis de la dégustation d'une tarte normande pour l'un et d'une mousse au chocolat pour l'autre, Hervé Maroutou l'avait anticipée lors de la réunion chez Grasset. Il avait toujours un coup d'avance.

Ainsi, il avait demandé à Delphine :

« N'est-ce pas un peu risqué de publier un livre en expliquant qu'il a été trouvé sur une étagère de textes refusés ?

— Bien sûr que non, répondit l'éditrice. La liste des chefs-d'œuvre rejetés par les éditeurs est longue. Je vais en préparer une, et ça sera notre réponse.

— Ce n'est pas faux, soupira une voix.

— Et puis, rien ne prouve que Pick ait envoyé son manuscrit. À vrai dire, j'ai même la conviction qu'il l'a sûrement déposé directement là-bas. »

Cette dernière phrase changeait la donne. C'était peut-être un livre qui n'avait jamais été destiné à la publication, et non pas refusé. Il était peu probable qu'on puisse le vérifier : les maisons d'édition ne conservent pas dans leurs archives la liste des manuscrits renvoyés à leur auteur. Delphine s'était préparée à répondre avec assurance et

1. Dans le menu, la catégorie était pompeusement nommée : « La farandole des desserts ».

vigueur à toutes les interrogations. Elle ne voulait pas laisser s'installer le moindre doute. Elle parla de la beauté de ne pas chercher à être publié, de vivre une vie en marge de toute reconnaissance. « C'est un génie de l'ombre, voilà ce qu'il faut dire », ajouta-t-elle. À l'heure où chacun veut à tout prix être reconnu pour tout et n'importe quoi, voilà un homme qui a sûrement passé des mois à peaufiner une œuvre destinée à la poussière.

3

Après cette réunion, Delphine avait décidé de préparer quelques éléments appuyant l'idée que le refus ne peut en aucun cas être une valeur qualitative. *Du côté de chez Swann*, de Marcel Proust, est sûrement l'un des refus les plus célèbres. Tant de pages et d'analyses de ce ratage ont été écrites qu'on pourrait en tirer un roman plus long que l'œuvre elle-même. En 1912, Marcel Proust est surtout connu pour son goût des mondanités. Est-ce pour cela qu'on ne le prend pas au sérieux ? On accorde toujours plus de mérite aux ermites. On vante davantage les qualités des taiseux et des souffreteux. Mais est-il impossible d'être à la fois génial et frivole ? Il suffit de lire un paragraphe du premier volet d'*À la recherche du temps perdu* pour se rendre compte de sa qualité littéraire. Chez Gallimard, le comité de lecture d'alors est composé d'écrivains célèbres, tel André Gide. On dira qu'il a feuilleté et non lu le livre, et que, armé de ses a priori, il est tombé sur des formules qu'il a jugées maladroites[1] et des phrases longues comme des insomnies. Pas pris au sérieux, rejeté, Proust se voit contraint de publier lui-même son roman, à compte d'auteur. André Gide avouera plus tard que le refus de ce livre demeure « la plus grande erreur de la NRF ». Et Gallimard se rattrapera très vite en publiant finalement Proust. En 1919, le deuxième tome du cycle, *À l'ombre des jeunes filles en fleurs*, obtiendra le prix Goncourt, et depuis un siècle l'écrivain d'abord refusé est considéré comme l'un des plus grands de tous les temps.

On pourrait citer un autre exemple emblématique : *La Conjuration des imbéciles*, de John Kennedy Toole. L'auteur, épuisé par la litanie incessante des refus, s'est suicidé en 1969, à l'âge de trente et un ans. En exergue de son roman, avec une ironie prémonitoire, il avait inscrit cette phrase de Jonathan Swift : « Quand un vrai génie apparaît en ce bas monde, on peut le reconnaître à ce signe que les imbéciles sont tous ligués contre lui. » Comment est-il possible que ce livre si puissant par son humour et son originalité n'ait pas trouvé d'éditeur ? Après sa mort, la mère de l'auteur s'est battue des années pour réaliser le rêve

1. Comme l'évocation d'un personnage qui *semble avoir des vertèbres sur le front* (magnifique image au passage).

de publication de son fils. Son acharnement fut récompensé, et le livre fut enfin connu de tous en 1980, avec un succès international immense. Ce roman est devenu un classique de la littérature américaine. L'histoire du suicide de son auteur, désespéré de ne pas être lu, a sûrement contribué à sa postérité. Les chefs-d'œuvre s'accompagnent souvent d'un roman du roman.

Delphine avait donc noté ces éléments, au cas où on lui parlerait trop des possibles refus essuyés par Pick. Elle en avait aussi profité pour approfondir ses connaissances sur Richard Brautigan. Elle avait souvent entendu des auteurs se référer à lui, comme Philippe Jaenada[1] par exemple, mais elle n'avait encore jamais eu l'occasion de le lire. On se fait parfois d'un auteur une image uniquement à cause d'un titre. Avec *Un privé à Babylone*, Delphine associait Brautigan à une version hippie de l'inspecteur Marlowe. Un mélange de Bogart et de Kerouac. Mais en lisant Brautigan, elle avait découvert sa fragilité, son humour, son ironie ; et des nuances mélancoliques. Elle le trouvait plus proche d'un autre auteur américain qu'elle venait de découvrir, Steve Tesich, et de son roman *Karoo*. Par ailleurs, elle n'avait aucune idée de la fascination de Brautigan pour le Japon, un pays qui habite autant son œuvre que sa vie. Dans son

1. Un écrivain dont elle appréciait tant le style littéraire que l'apparence d'ours malicieux, mais qu'elle ne voyait plus beaucoup depuis qu'il avait quitté Grasset pour retourner chez Julliard, son premier éditeur.

journal, le 28 mai 1976, il avait écrit cette phrase soulignée par Delphine :

> « Les femmes sont toutes si séduisantes au
> Japon
> que les autres ont dû être noyées à la naissance. »

Pour revenir à cette histoire de refus, Brautigan lui aussi avait galéré, enchaînant les réponses négatives. Avant de devenir l'auteur emblématique de toute une génération, que les groupies hippies se jettent sur lui, il avait passé plusieurs années quasiment dans la misère. Incapable de se payer le bus, il pouvait marcher trois heures pour se rendre à un rendez-vous ; ayant à peine de quoi manger, il ne refusait pas un sandwich offert par un ami. Toutes ces années difficiles avaient été rythmées par les rejets d'éditeurs. Personne ne croyait en lui. Des textes qui devinrent par la suite de si grands succès ne recevaient qu'un coup d'œil rapide et méprisant. Son histoire de bibliothèque de livres refusés avait évidemment été nourrie par cette période où ses mots étaient dédaignés de tous. Il savait si bien ce que c'était d'être un artiste incompris[1].

1. Comme si la reconnaissance consistait à *être compris*. Personne n'est jamais compris, et certainement pas les écrivains. Ils errent dans des royaumes aux émotions bancales, et, la plupart du temps, ils ne se comprennent pas eux-mêmes.

4

À mesure que la publication approchait, et malgré les retours enthousiastes de libraires et de critiques, Delphine était de plus en plus stressée. C'était la première fois qu'elle ressentait une telle angoisse. Elle était toujours investie dans ses projets, mais le livre de Pick la propulsait vers une fébrilité inédite ; la sensation d'être sur le rivage de quelque chose de majeur.

Chaque soir, elle téléphonait à Madeleine pour prendre de ses nouvelles. Si elle aimait être présente auprès de ses auteurs, elle éprouvait davantage encore ce besoin avec la veuve de l'écrivain. Peut-être pressentait-elle ce qui allait se passer ? Il fallait préparer cette femme âgée à se retrouver en pleine lumière. Delphine avait peur de bouleverser une vie ; elle n'avait pas anticipé cela. Elle se sentait parfois mal à l'aise de l'avoir convaincue de publier le roman de son mari. Ce n'était pas le rôle classique d'un éditeur ; cette histoire pouvait être perçue comme un braquage du destin, et peut-être même comme l'absence de respect d'une volonté de l'auteur.

Frédéric, lui, bataillait pour écrire son roman. Dans ces périodes de difficultés littéraires, il avait du mal avec les mots en général : il était incapable de savoir ce qu'il fallait dire pour rassurer Delphine. Le manque d'inspiration se propageait partout, laissant son couple se perdre dans une page blanche. Cette aventure qui avait commencé à Crozon de manière excitante, et joyeuse même, devenait un projet stressant et accaparant. Ils faisaient moins l'amour, se disputaient davantage. Frédéric se sentait mal, restait à l'appartement des journées entières à tourner en rond, attendant le retour de sa femme comme la preuve de l'existence d'autres humains. Depuis peu, il avait envie d'attirer l'attention sur lui, comme un enfant fait des bêtises. Alors, il annonça froidement :

« Je voulais te dire, j'ai revu mon ex.

— Ah bon ?

— Oui, je l'ai croisée dans la rue par hasard. Et on a pris un café.

— … »

Delphine ne sut que répondre. Non qu'elle fût jalouse, mais le ton vindicatif choisi par Frédéric pour annoncer l'anecdote l'avait surprise. Par sa formulation brutale, il donnait une importance à l'information. Que s'était-il passé ? À vrai dire : rien. Quand il était retourné près d'elle et lui avait proposé d'aller boire un café, elle avait répondu ne pas pouvoir. Il avait considéré cela comme une seconde humiliation. Ce qui était ridicule : elle n'avait eu que des mots agréables à son égard. Frédéric déformait la réalité, interprétant deux faits anodins comme des marques de mépris. Agathe pouvait avoir un rendez-vous, et ce n'était pas sa faute si le roman de son ex-copain n'avait pas eu suffisamment d'écho pour l'atteindre. Frédéric refusait de voir les choses ainsi ; c'était peut-être l'esquisse d'une forme de paranoïa.

« Et alors, c'était sympa ? demanda Delphine.

— Oui. On a parlé deux heures, je n'ai pas vu le temps passer !

— Pourquoi tu me dis ça comme ça ?

— Je te tiens au courant, c'est tout.

— D'accord, mais je suis angoissée en ce moment. Et il y a de quoi, tu le sais très bien. Alors tu pourrais simplement être plus doux.

— Ça va, je n'ai rien fait. J'ai revu une ex, je n'ai pas couché avec elle.

— Bon, je vais au lit.

— Déjà ?

— Oui, je suis épuisée.

— Tu vois, je le sentais.

— Quoi ?

— Tu ne m'aimes plus, Delphine. Tu ne m'aimes plus.

— Pourquoi tu dis ça ?

— Même une dispute, tu me la refuses.

— Ah bon ? C'est ça pour toi aimer ?

— Oui. Moi j'invente tout cela pour vérifier…

— Quoi ? Tu inventes ?

— Oui. Je l'ai croisée. Mais je n'ai pas pris de café avec elle.

— Je ne te comprends pas. Je ne sais plus où est la vérité.

— J'ai juste envie d'une dispute.

— Une dispute ? Tu veux que je casse un vase juste pour te faire plaisir ?

— Pourquoi pas. »

Delphine s'approcha de Frédéric : « Tu es fou. » Elle s'en rendait compte chaque jour davantage. Elle savait que ce ne serait pas facile de vivre avec un écrivain ; mais elle l'aimait, elle l'aimait tellement, et depuis la première seconde. Alors, elle lui dit :

« Tu veux une dispute mon amour ?

— Oui.

— Pas ce soir, car je suis crevée. Mais bientôt mon amour. Bientôt… »

Et ils savaient tous deux qu'elle tenait toujours ses promesses.

5

La jeune éditrice avait espéré le succès du livre, elle l'avait voulu au point de ne pas dormir, mais avait-elle imaginé un tel phénomène ? Non, ce n'était pas possible. Son esprit, pourtant accessible aux rêves les plus extravagants, n'aurait jamais pu envisager les événements improbables qui allaient advenir.

Tout a commencé avec l'agitation des médias. Ils se sont emparés de cette histoire, qu'ils jugeaient *hors du commun*. Formule exagérée, mais notre époque a l'emphase facile. Quelques jours suffirent pour placer le livre de Pick au cœur de la vie littéraire. Le roman, et toute la genèse de la publication bien sûr. Les journaux tenaient là un sujet excitant, une histoire à raconter. Un journaliste, ami de Delphine, osa cette étrange comparaison :

« C'est comme le dernier Houellebecq.

— Ah bon ? Pourquoi tu dis ça ? demanda-t-elle.

— *Soumission* est son plus gros succès. Plus gros que son Goncourt. Mais c'est son moins bon livre. Il m'est tombé des mains. Franchement, pour quiconque aime Houellebecq, c'est très en dessous de tout ce qu'il a écrit. Alors qu'il possède un sens exceptionnel du romanesque, il n'y a pas vraiment d'histoire. Et les quelques bonnes pages sur la sexualité ou la solitude sont des redites de ce qu'il a déjà écrit, en moins bien.

— Tu es très dur, je trouve.

— Mais tout le monde a voulu le lire car l'idée est absolument brillante. En deux jours, toute la France ne parlait que de ça. On a même demandé au président de la République en interview : "Allez-vous lire le livre de Houellebecq ?" Niveau promotion, on peut difficilement faire plus fort. C'est un roman qui ne tient que sur la polémique, c'est remarquable.

— À chaque fois qu'il sort un livre, c'est comme ça. On parle toujours à tort et à travers de ce qu'il y a dans ses romans. Mais peu importe, c'est un immense écrivain.

— Là n'est pas la question. Avec *Soumission*, il a dépassé le stade du roman. Il est entré avant tout le monde dans une nouvelle ère. Le texte n'a plus d'importance. Ce qui compte, c'est de dégager une seule idée forte. Une idée qui fera parler.

— Quel rapport avec Pick ?

— C'est moins sulfureux, c'est moins brillant, et ce n'est pas porté par un génie de la communication, mais tout le monde parle de ton livre, sans que le texte ait la moindre importance. Tu aurais pu publier le catalogue Ikea, tu ferais quand même un carton. D'ailleurs, le livre n'est pas si bon. Il y a des longueurs, et c'est un peu cliché. La seule partie vraiment intéressante est l'agonie de Pouchkine. Au fond c'est un livre sur la mort absurde d'un poète. »

Delphine ne partageait pas le point de vue du journaliste. Il était évident que le fabuleux démarrage commercial du roman de Pick était lié au contexte, mais elle ne pensait pas que cela expliquait tout. Elle avait de nombreux retours de lecteurs qui étaient touchés par le livre. Elle-même trouvait le texte formidable. Mais sur un point, il n'avait pas tort : on parlait bien plus du mystère Pick que de son livre. Quantité de journalistes l'appelaient pour en savoir plus sur le pizzaiolo. Certains se mirent à enquêter pour reconstituer sa vie. Qui était-il ? À quelle période avait-il écrit son livre ? Et pourquoi n'avait-il pas voulu qu'il soit publié ? Il fallait répondre à toutes ces questions. Bientôt, on aurait forcément des révélations sur l'auteur des *Dernières Heures d'une histoire d'amour.*

6

Le succès appelle le succès. Quand le roman dépassa les 100 000 exemplaires, de nombreux journaux reparlèrent du livre en employant le mot de phénomène. Tout le monde voulait décrocher la première interview de « la veuve ». Jusqu'à présent, Delphine avait pensé préférable de la garder dans l'ombre. Laisser les gens fantasmer sur l'histoire, sans trop d'informations. Maintenant que le livre était connu de tous, on pouvait relancer la communication autour de l'événement que représenterait la découverte de celle qui a partagé la vie d'Henri Pick.

Delphine choisit de participer à l'émission *La Grande Librairie.* L'animateur, François Busnel, avait obtenu cette exclusivité à la condition suivante : il s'agirait d'un entretien enregistré en tête à tête à Crozon. Madeleine n'avait aucune envie de se déplacer jusqu'à Paris. Le journaliste avait l'habitude des interviews loin de son plateau, mais c'était plutôt pour rencontrer Paul Auster ou Philip Roth aux États-Unis. Il était heureux d'avoir décroché ce qu'on pouvait considérer comme un scoop ; on pouvait enfin espérer en savoir un peu plus. Après tout, derrière un écrivain il y a souvent une femme.

L'éditrice dormit très mal la veille de son départ pour la Bretagne. Au cœur de la nuit, elle fut comme chahutée par un mouvement intérieur violent. Elle se réveilla en sursaut, et demanda à Frédéric ce qui s'était passé. Il répondit : « Rien, mon amour. Il ne s'est rien passé. » Elle ne parvint pas à se rendormir, et resta assise sur le canapé du salon, à attendre le matin.

7

Quelques heures plus tard, accompagnée de l'équipe de télévision, elle sonna chez Madeleine. La vieille dame n'avait pas imaginé que tant de personnes se déplaceraient pour elle : il y avait même une maquilleuse. Elle trouva cela absurde. « Je ne suis pas Catherine Deneuve », dit-elle. Delphine lui expliqua que tout le monde était maquillé à la télévision, mais cela ne changeait rien. Elle voulait être naturelle, et c'était peut-être mieux ainsi. Chacun comprit que cette Bretonne n'était pas du genre à se laisser imposer quoi que ce soit. François Busnel tenta de l'amadouer en faisant quelques compliments sur la décoration de son salon, et pour cela il dut puiser au plus profond de son imagination. Il comprit finalement que le plus judicieux serait de parler de cette belle région, la Bretagne. Et il sortit quelques références d'auteurs bretons que Madeleine ne connaissait pas spécialement.

L'enregistrement commença. En introduction, Busnel raconta à nouveau la genèse du roman. Son enthousiasme était réel, mais sans être excessif. Les animateurs d'émissions littéraires doivent trouver leur place entre le charisme d'une incarnation nécessaire et la discrétion qui convient à un public préférant le sérieux à l'esbroufe. Puis, il s'adressa à Madeleine :

« Bonjour madame.

— Appelez-moi Madeleine.

— Bonjour Madeleine.

— Puis-je vous demander où nous sommes ?

— Mais vous le savez très bien. Elle est bizarre votre question.

— C'est pour le téléspectateur. Je voulais que vous nous présentiez ce lieu, car habituellement l'émission se passe à Paris.

— Ah oui, tout se passe à Paris. Enfin, c'est ce que pensent les Parisiens.

— Et donc… nous sommes…

— Chez moi. En Bretagne. À Crozon. »

Madeleine énonça cette phrase un peu plus fort que les précédentes, comme si la fierté se trahissait par une mise à niveau sonore des cordes vocales.

Delphine, assise derrière les caméras, observait avec surprise le démarrage de l'entretien. Madeleine paraissait étonnamment à l'aise, pas tout à fait consciente peut-être que des centaines de milliers de personnes allaient la regarder. Comment imaginer tant de monde derrière un seul homme qui vous parle? Busnel entra dans le vif du sujet sans plus attendre :

« On dit que vous ne saviez pas du tout que votre mari avait écrit un roman.

— C'est vrai.

— Vous avez été très surprise?

— Au départ oui, beaucoup. Je n'y croyais pas. Mais Henri était particulier.

— C'est-à-dire?

— Il ne parlait pas beaucoup. Alors peut-être que c'était pour garder tous ses mots pour son livre.

— Il tenait une pizzeria, c'est ça?

— Oui. Enfin, c'était la nôtre.

— Oui, pardon, dans votre pizzeria. Vous étiez donc tous les jours ensemble? À quel moment aurait-il pu écrire?

— Sûrement le matin. Henri aimait partir tôt. Il préparait tout pour le service du midi, mais ça lui laissait sans doute un peu de temps.

— Il n'y a aucune date sur ce manuscrit. On connaît simplement l'année du dépôt à la bibliothèque. Peut-être l'a-t-il écrit sur une très longue période?

— Peut-être. Je ne peux pas le savoir.

— Et le livre, qu'en avez-vous pensé?

— C'est une belle histoire.

— Est-ce que vous savez s'il aimait certains écrivains?

— Je ne l'ai jamais vu lire un livre.

— C'est vrai ? Jamais ?

— Ce n'est pas à mon âge que je vais commencer à mentir.

— Et Pouchkine ? On a retrouvé un livre du poète chez vous, est-ce vrai ?

— Oui. Dans le grenier.

— Il faut rappeler que le roman de votre mari raconte les dernières heures d'une histoire d'amour, un couple qui décide de se séparer, tout en évoquant l'agonie de Pouchkine. Agonie absolument saisissante, au cours de laquelle le poète souffre violemment.

— C'est vrai qu'il gémit beaucoup.

— Nous sommes le 27 janvier 1837 et, si j'ose dire, il n'a pas la chance de mourir sur le coup : "La vie ne veut pas s'échapper de lui, préférant demeurer dans un corps à faire souffrir", je cite votre mari. Il évoque le sang qui coagule. C'est une image qui revient sans cesse, tout comme cet amour qui devient un sang noir. C'est très beau.

— Merci.

— Vous avez donc retrouvé un livre de Pouchkine ?

— Oui, je vous l'ai dit. En haut dans le grenier. Dans un carton.

— Aviez-vous déjà vu ce livre chez vous ?

— Non. Henri ne lisait pas. Même le journal, il le feuilletait rapidement. Il trouvait que c'était toujours des mauvaises nouvelles.

— Que faisait-il de son temps libre alors ?

— On n'en avait pas beaucoup. On ne partait pas en vacances. Il aimait beaucoup le vélo, le Tour de France. Surtout les coureurs bretons. Une fois, il a même vu Bernard Hinault en vrai, et ça lui a fait quelque chose. Je ne l'avais jamais vu comme ça. Il fallait se lever tôt pour l'impressionner.

— J'imagine oui…, mais revenons à *Eugène Onéguine* si vous le voulez bien, le livre de Pouchkine retrouvé chez vous. Votre mari a souligné un passage. Si vous me permettez, je voudrais le lire.

— D'accord », répondit Madeleine.

François Busnel ouvrit le livre, et prononça ces quelques mots[1] :

Celui qui vit, celui qui pense
En vient à mépriser les hommes.
Celui dont le cœur a battu
Songe aux jours qui se sont enfuis.
L'enchantement n'est plus possible.
Le souvenir et le remords
Deviennent autant de morsures.
Tout cela prête bien souvent
De la couleur aux discussions.

« Est-ce que cela vous inspire quelque chose ? reprit l'animateur après avoir laissé s'installer un silence un peu long, et plutôt rare pour une émission de télévision.

— Non, répondit Madeleine aussitôt.

— Ce passage parle du mépris des hommes.

1. Il les énonça à la fois lentement et puissamment, si bien qu'on aurait pu penser qu'il avait fait du théâtre dans sa jeunesse.

Votre mari a vécu finalement une vie très discrète. Et il n'a pas cherché à faire publier son livre. Était-ce une volonté de ne pas se mêler aux autres ?

— C'est vrai qu'il était discret. Et il préférait qu'on reste à la maison quand on ne travaillait pas. Mais ne dites pas qu'il n'aimait pas les gens. Il n'a jamais eu du mépris pour personne.

— Et cette histoire de remords ? A-t-il eu des regrets, dans sa vie ?

— … »

Madeleine, habituellement si diserte et prompte à répondre, sembla hésiter avant de finalement ne rien dire et de laisser le silence se prolonger. Busnel dut enchaîner :

« Vous réfléchissez à un élément de sa vie ou vous ne voulez pas répondre ?

— C'est personnel. Vous posez beaucoup de questions. C'est une émission ou un interrogatoire ?

— Une émission, je vous rassure. On veut simplement vous connaître un peu plus, ainsi que votre mari. On a envie de savoir qui se cache derrière l'auteur.

— J'ai l'impression qu'il ne voulait pas qu'on le sache.

— Pensez-vous que ce livre soit personnel ? Que l'histoire puisse contenir une part autobiographique ?

— C'est sûrement inspiré de notre séparation, quand on avait dix-sept ans. Mais après, l'histoire est très différente. Il a peut-être entendu cette histoire au restaurant. Certains clients restaient l'après-midi à boire et à raconter leur vie. Moi, ça m'arrive de me confier à mon coiffeur. Alors je peux comprendre. D'ailleurs, je lui dis bonjour, ça lui fera plaisir.

— Oui bien sûr.

— Enfin, je ne sais pas s'il vous regarde. Lui, il aime les émissions de cuisine.

— Pas de soucis, on le salue quand même », reprit Busnel avec un petit sourire complice, pensant entraîner avec lui le téléspectateur dans ce moment léger ; contrairement aux émissions enregistrées en public, il était difficile pour lui de savoir s'il avait réussi à établir cette connivence, ou si ce clin d'œil tomberait à plat. Mais il n'avait pas envie que l'entretien vacille dans la facilité, de faire parler cette femme âgée de tout et de rien. Il voulait rester concentré sur son sujet, et espérait encore découvrir une information inédite, ou étonnante, concernant Pick. On ne pouvait pas terminer la lecture de ce roman, sans être saisi d'une curiosité totale à l'égard de son improbable genèse. D'une manière générale, notre époque traque le vrai derrière toute chose, et surtout la fiction.

8

Pour maintenir l'intérêt jusqu'au bout du programme, il était temps de faire une pause. Habituellement, on diffusait le portrait d'un libraire qui partage ses coups de cœur le temps d'une rubrique ; mais comme il s'agissait d'une émission spéciale, un journaliste avait interviewé Magali Croze, pour en savoir un peu plus sur ce fameux département de la bibliothèque consacré aux livres refusés.

Depuis qu'elle avait accepté d'être filmée, Magali était au bord du désespoir. Elle avait acheté à la pharmacie des pilules autobronzantes qui lui donnaient un teint perdu entre le jaune délavé et la carotte. À trois reprises, elle était allée chez son coiffeur (celui salué par Madeleine), choisissant une nouvelle coupe avant de regretter l'ancienne. Elle opta finalement pour une frange étrange qui lui allongeait le front d'une manière démesurée. Le coiffeur la trouva *extraordinaire*, mot qu'il ponctua en plaquant les deux mains sur ses joues, comme étonné lui-même d'avoir été capable de créer une telle œuvre capillaire. Il pouvait l'être : personne dans l'histoire de la coiffure n'avait jamais vu une telle coupe, à la fois baroque et classique, futuriste et archidémodée.

Restait la tenue. Elle opta assez vite (à vrai dire, c'était son seul vêtement à la hauteur d'un tel événement) pour son tailleur rose pâle. Elle fut surprise d'avoir du mal à rentrer dedans, mais elle y parvint au risque de suffoquer. Avec son nouveau teint, sa nouvelle coiffure, et ce tailleur surgi du tréfonds de son dressing, elle eut du mal à se reconnaître. Face au miroir, elle aurait été capable de se vouvoyer. José, son mari, qui était de plus en plus maigre à mesure qu'elle était de plus en plus grosse (comme si un poids de couple leur avait été attribué et qu'ils devaient se débrouiller pour le répartir entre leurs deux corps), demeura figé par cette vision inédite de sa femme. Il pensa à un ballon de baudruche rose ultra-gonflé surmonté d'une tête en forme de choucroute.

« Qu'est-ce que tu en penses ? demanda-t-elle.

— Je ne sais pas. C'est… bizarre.

— Oh, pourquoi je te demande ça à toi ?! Tu n'y connais rien ! »

Le mari repartit vers la cuisine, laissant derrière lui l'ouragan. Après tout, sa femme lui parlait ainsi depuis longtemps. Ils échangeaient du silence ou des mots trop forts, mais le niveau sonore de leur union prenait rarement une allure modérée. Depuis quand était-ce ainsi ? Il est difficile de dater le début du déclin d'un amour. C'est progressif, insidieux, l'aisance sournoise des agonies. Avec les naissances de leurs deux garçons, la vie avait surtout pris une tournure logistique. Ils mettaient leur éloignement sur le compte de ce quotidien éreintant. Ça sera mieux quand les enfants seront grands, on pourra se retrouver, pensaient-ils. Ce fut exactement le contraire. Leur départ laissa un grand vide ; une sorte de falaise affective dans le salon. Une faille qu'aucun amour fatigué ne peut combler. Les garçons mettaient de la vie, apportaient des sujets de conversation, commentaient le monde. Maintenant, tout cela n'existait plus.

José décida pourtant de revenir vers son épouse pour la rassurer :

« Tout va très bien se passer.

— Tu crois ?

— Oui, je sais que tu vas être parfaite. »

Sa tendresse subite toucha Magali. Elle dut admettre que toute relation affective était complexe à définir, variant sans cesse du noir au blanc, et elle ne savait plus trop que penser. Sous le coup de la colère on veut tout envoyer en l'air ; et puis on aime encore, cela nous prend presque par surprise.

Une certaine confusion s'empara également de Magali à propos du reportage filmé. À vrai dire, elle n'avait pas très bien compris. Elle s'était préparée comme si elle allait être invitée au journal de vingt heures. Pour elle, « passer à la télévision », cela voulait dire : « Tout le monde va me voir. » Elle n'avait pas imaginé qu'elle allait illustrer un sujet de deux minutes, qui serait largement alimenté d'images de la bibliothèque et de commentaires de lecteurs. Tant d'efforts pour passer dix-sept secondes dans une émission littéraire qui, même si elle allait battre un record d'audience, demeurerait relativement confidentielle ! La journaliste lui demanda de raconter comment était née l'idée de la bibliothèque. Elle évoqua en quelques mots Jean-Pierre Gourvec et l'enthousiasme avec lequel elle avait accueilli ce brillant projet[1] :

« Malheureusement, ce ne fut pas le succès escompté. Mais depuis le livre de M. Pick les choses ont changé. Il y a beaucoup plus de monde dans la bibliothèque. Les gens sont tellement curieux. Je les repère tout de suite dès qu'ils entrent, ceux qui viennent me déposer leur manuscrit. Évidemment, cela me fait du travail en plus… »

Alors qu'elle était prête à s'exprimer encore un bon moment, on la remercia pour son « précieux témoignage ». La journaliste savait que son sujet serait court ; il était inutile d'avoir un excès de matière qui compliquerait le montage. Magali, déçue, continua tout de même à parler, avec ou sans caméra : « Ça fait bizarre. Parfois, j'ai plus de dix personnes en même temps. Je n'avais jamais vu ça. Si ça continue, un car de Japonais va débarquer un jour ! » s'exclama-t-elle en souriant, mais plus personne ne l'écoutait. Elle n'avait pas tort, l'engouement pour le lieu n'allait cesser de croître. Pour l'heure, Magali se dirigea vers son petit bureau et se démaquilla, avec le même spleen qu'une vieille actrice dans sa loge, après une dernière représentation.

1. Un léger arrangement avec la vérité, pour ceux qui veulent vérifier plus haut dans le récit.

9

Le sujet concernant la bibliothèque avait été monté très rapidement, pour que Madeleine puisse le voir pendant l'enregistrement de son entretien. François Busnel lui demanda si elle voulait réagir :

« C'est incroyable de voir tout ce qui se passe ici. J'ai entendu dire que des gens allaient dans notre pizzeria, juste pour voir où a peut-être écrit mon mari. Enfin, il ne faut pas qu'ils aient envie de manger une pizza, car c'est une crêperie maintenant.

— Quel est votre sentiment face à cet engouement ?

— Je ne le comprends pas vraiment. C'est juste un livre.

— C'est difficile d'empêcher le désir des lecteurs. C'est aussi pour cela que des journalistes enquêtent sur le passé de votre mari.

— Oui je sais, tout le monde veut me parler. On fouille notre vie, je n'aime pas trop ça. Moi, on m'a dit de vous parler à vous. J'espère que ça vous fait plaisir. Car si je dis ce que je pense, je préfère qu'on me laisse tranquille. Certains vont même sur sa tombe, alors qu'ils ne le connaissent pas. Ce n'est pas bien de faire ça. C'est mon mari. Je suis contente qu'on lise son livre, mais bon… ça suffit. »

Madeleine avait prononcé ces derniers mots avec fermeté. Personne ne s'y attendait, mais tel était le fond de sa pensée. Elle n'aimait pas tout le cirque qui grandissait autour de son mari. François Busnel avait évoqué des journalistes enquêtant sur la vie de Pick ; allaient-ils faire des révélations ? Certains étaient animés par une autre intuition. Plusieurs[1] estimaient que le pizzaiolo ne pouvait pas avoir écrit un roman. Ils ignoraient qui l'avait écrit et pourquoi on avait utilisé le nom de Pick, mais il y avait forcément une raison à découvrir. L'interview de Madeleine, confirmant la vie rangée et si peu culturelle de son époux, appuyait leur ressenti. Il fallait tout faire pour trouver la clé de cette énigme. Et si possible, bien sûr, être le premier.

10

Le lendemain de la diffusion de l'émission, tout le monde fut stupéfait par les chiffres d'audience. On parla de record. Depuis plusieurs années, à l'époque où Bernard Pivot animait *Apostrophes*, on n'avait pas vu ça. Quelques jours plus tard, le livre prit la première place du classement des

1. Parmi eux, Jean-Michel Rouche, un ancien du *Figaro littéraire*, spécialiste de littérature allemande (un inconditionnel de la famille Mann), viré du jour au lendemain et qui depuis tentait de subsister en free-lance, alternant les papiers de complaisance et les modérations de débats littéraires. Pour l'instant, on le retrouve dans une note en bas de page, mais bientôt il aura une importance capitale dans cette histoire.

romans. Et même pour Pouchkine, jusque-là assez peu lu en France, les ventes enregistrèrent un frémissement. L'engouement se propagea à l'étranger, avec des offres de plus en plus importantes, notamment venues d'Allemagne. Dans un contexte économique violent, une situation géopolitique instable, la sincérité de Madeleine, alliée au miracle de l'histoire du manuscrit, avait mis en place les conditions d'un grand succès.

À Crozon, cette médiatisation subite changea également le regard sur Madeleine. Au marché, elle sentait bien que les attitudes n'étaient plus les mêmes. On l'observait comme une bête de foire, et elle se laissait aller à distribuer des petits sourires de fausse connivence, à droite à gauche, pour masquer sa gêne. Le maire de la ville proposa d'organiser une petite réception en son honneur, ce qu'elle refusa catégoriquement. Elle avait accepté que le livre de son mari soit publié, et une émission de télévision, mais ça s'arrêterait là. Il était hors de question qu'elle change de vie (il n'était pas certain que l'on puisse décider de ça).

Devant le désir de discrétion de Madeleine, les journalistes décidèrent de se rabattre sur la fille de l'écrivain. Joséphine, après des années d'ombre et de repli, considéra cette subite agitation à son égard comme un cadeau du ciel. La vie lui offrait sa revanche. Quand Marc l'avait quittée, elle s'était sentie dénuée d'intérêt et voilà qu'on la propulsait au centre de la scène. On voulait savoir comment était son père, s'il lui racontait des histoires quand elle était petite, et si ça continuait on lui demanderait bientôt si elle préférait le brocoli ou l'aubergine. Telle une héroïne éphémère de télé-réalité, elle allait se sentir conquise par le sentiment d'être particulière. *Ouest France* envoya une journaliste pour réaliser un grand entretien. Joséphine n'en revenait pas : « Le journal le plus lu en France… », soupirait-elle. Pour la photo, elle demanda bien sûr à poser devant sa boutique. Dès le lendemain, l'affluence doubla. On faisait la queue pour acheter un soutien-gorge chez la fille du pizzaiolo qui avait écrit un roman dans le plus grand secret (un des chemins absurdes emprunté par cette postérité particulière).

Joséphine avait retrouvé l'usage de ses zygomatiques. On pouvait la voir parader devant son magasin avec l'allure d'une gagnante du Loto. Elle réécrivait sa propre histoire selon les interlocuteurs ; elle parlait de la relation fusionnelle avec son père, mentait en disant avoir toujours ressenti chez lui cette vie intérieure. Elle finit par avouer ce que tout le monde voulait entendre : elle n'avait pas été surprise par ce qui avait été découvert. Elle passait sous silence, ou avait totalement oublié, sa première réaction. Elle prenait goût à cette drogue que peut être la notoriété, voulait chaque jour davantage se baigner dans cette nouvelle lumière ; quitte à s'y noyer.

Elle eut aussi la stupéfaction de recevoir un appel de Marc. Après leur séparation, il avait pris quelques fois de ses nouvelles, avant de disparaître complètement. Pendant des mois, elle était restée rivée à son téléphone, espérant un appel où il avouerait la regretter. Certains jours, elle avait éteint et rallumé son mobile des dizaines de fois pour vérifier qu'il fonctionnait, avec ce geste absurde de lever au ciel l'objet pour mieux capter le réseau. Mais plus jamais il n'avait appelé. Comment pouvait-on rompre ainsi un lien qui avait été aussi puissant ? Certes, leurs dernières discussions n'avaient été qu'une succession chaotique de reproches (elle) et de tentatives d'esquives (lui), et il était évident que se parler revenait à se faire du mal.

On dit souvent que tout passe, mais certaines souffrances ne s'apaisent pas. Marc lui manquait encore, sa présence dans le lit chaque matin bien sûr, mais aussi ses défauts : cette façon qu'il avait de râler pour un oui ou pour un non, et même pour un peut-être. Joséphine aimait ce qu'elle avait détesté par le passé. Elle repensait à leur rencontre et à la naissance des filles. Toutes les images d'un bonheur brouillé par cette fin. Le moment où il lui avait dit : « Il faut que je te parle. » Cette fameuse phrase sans espoir qui annonce, au contraire, que tout est dit. C'était donc fini. Mais le téléphone de la boutique venait de sonner. Marc voulait prendre de ses nouvelles. Figée par la surprise, elle ne sut que dire. Il enchaîna : « Je voudrais te voir, prendre un café avec toi, si tu es d'accord. » Oui, c'était bien Marc qui lui parlait. Marc qui lui demandait si elle était d'accord pour le revoir. Elle rassembla ses pensées, pour pouvoir en former une seule, qui serait sa réponse : « Oui. » Elle nota l'heure et le lieu du rendez-vous, puis raccrocha. Pendant plusieurs minutes, elle observa le téléphone.

SIXIÈME PARTIE

1

Le livre poursuivit sa route au sommet des classements, et se transforma en phénomène avec plusieurs conséquences inattendues. Il fut bien sûr acheté par de nombreux pays, et entamait déjà une belle carrière en Allemagne, après une traduction expresse du texte. Le magazine *Der Spiegel* consacra un très long article au roman ; on pouvait y lire toute une thèse associant Pick à la liste des écrivains cachés, comme J. D. Salinger ou Thomas Pynchon. On fit même la comparaison avec Julien Gracq, qui avait refusé le prix Goncourt pour *Le Rivage des Syrtes*, en 1951. La situation n'était pas tout à fait la même, mais elle pouvait rapprocher le Breton d'une sorte de large famille composée d'écrivains qui veulent être lus sans être vus. Aux États-Unis, le livre sortirait sous le titre suivant : *Unwanted Book*. Un choix surprenant car il évoquait davantage l'histoire de la publication que le roman lui-même. Mais c'était une preuve tangible que notre époque mutait vers une domination totale de la forme sur le fond.

Par ailleurs, il y eut de nombreux intérêts pour une adaptation cinématographique, mais rien n'était encore signé. Thomas Langmann, le producteur de *The Artist*, commença de réfléchir à un film non pas sur le roman, mais sur la vie de l'auteur ; il répétait à qui voulait l'entendre son jeu de mots : « Ce sera un *biopick* ! » Mais pour l'instant, il était compliqué d'envisager un scénario relatant la vie de Pick, car il manquait bien trop d'éléments, notamment sur les conditions dans lesquelles il avait écrit son livre. On n'allait pas tenir deux heures avec un homme qui fait des pizzas et écrit le matin à l'abri de tous. « Il y a des limites au cinéma contemplatif. Cela aurait été parfait pour Antonioni, avec Alain Delon et Monica Vitti… », rêvait-il. Finalement, il ne prit pas d'option. Heidi Warneke, l'Allemande à la voix chaleureuse qui s'occupait des droits de cession chez Grasset, continua d'écouter les offres sans se décider. Il était préférable d'attendre une grande proposition au lieu de se précipiter ; avec le succès croissant du livre, il était évident qu'elle se présenterait. Sans le dire, elle rêvait de Roman Polanski, car elle savait qu'il était le seul à pouvoir rendre palpitantes les images d'un homme enfermé dans une pièce. Ce livre, c'était l'histoire d'un blocage, l'impossibilité de vivre une histoire d'amour, et le réalisateur du *Pianiste* savait filmer l'exiguïté physique et mentale comme personne. Mais il venait de commencer le tournage de son nouveau film ; l'histoire d'une jeune peintre allemande, morte à Auschwitz.

2

Il y eut d'autres conséquences, plus inattendues. On se mit à louer le bonheur d'être refusé. Les éditeurs n'avaient pas toujours raison ; Pick en était une nouvelle preuve. On oubliait au passage qu'aucun élément matériel ne prouvait qu'il avait envoyé son manuscrit aux maisons d'édition. Mais il y avait là une vague sur laquelle on pouvait surfer. Avec l'essor du numérique, de plus en plus d'auteurs mettaient leurs livres sur la Toile après avoir essuyé le refus des maisons traditionnelles. Et le public pouvait en faire un succès, comme cela avait été le cas avec la série des *After*.

Le premier à penser à une belle idée marketing fut Richard Ducousset des éditions Albin Michel. Il demanda à son assistante de rechercher quelques livres « pas trop mauvais » parmi ceux qu'ils avaient refusés dernièrement. Après tout, il arrive que l'éditeur hésite et renonce finalement à publier un roman malgré quelques qualités. L'assistante appela l'auteur sélectionné pour savoir combien de refus il avait essuyés :

« Vous m'appelez pour savoir combien d'éditeurs ont refusé mon livre ?

— Oui.

— Vous êtes bizarre.

— C'est juste pour savoir.

— Une dizaine, il me semble.

— Merci beaucoup », dit-elle en raccrochant.

Ce n'était pas assez. Il fallait trouver un champion du refus. Ce fut le cas de *La Gloire de mon frère*, le roman d'un certain Gustave Horn, refusé 32 fois. Richard Ducousset fit aussitôt signer un contrat à l'auteur ; ce dernier pensa à une blague, ou bien s'agissait-il d'une caméra cachée ? Non, le contrat était bien réel.

« Je ne vous comprends pas. Il y a quelques mois, vous n'avez pas voulu de mon livre. J'ai reçu une lettre type.

— Nous avons changé d'avis. Ça arrive à tout le monde de se tromper… », expliqua l'éditeur.

Quelques semaines plus tard, le livre sortit avec le bandeau suivant accroché sur la couverture :

« Un roman refusé 32 fois »

Ce livre n'eut pas le succès de Pick, mais dépassa les 20 000 exemplaires, ce qui est déjà un score important. Les lecteurs avaient été intrigués par un roman autant refusé. On trouvait dans cet attrait le goût de la transgression. Incapable de percevoir l'ironie de toute la situation, Gustave Horn eut le sentiment que son talent était enfin récompensé. Armé de cette nouvelle foi, il ne comprendrait pas le refus de son éditeur pour son manuscrit suivant.

3

L'éternel Jack Lang, ancien ministre de la Culture, eut l'idée d'instaurer la « Journée des auteurs non publiés[1] ». On fêterait ainsi tous ceux qui écrivent sans avoir d'éditeur. Dès la première année, ce fut un succès populaire. À l'instar de la Fête de la musique, également créée par Lang, les romanciers et les poètes en herbe descendirent nombreux dans la rue pour lire leurs histoires ou partager leurs mots avec qui voulait bien les écouter. Une enquête du journal *Le Parisien* confirma qu'un Français sur trois écrivait ou voulait écrire : « On peut pratiquement dire qu'aujourd'hui il y a plus d'écrivains que de lecteurs », conclut Pierre Vavasseur dans son article. Bernard Lehut, sur RTL, chroniqua le succès de cette manifestation en remarquant : « On a tous quelque chose en nous de Pick. » Le succès de ce livre, retrouvé au cœur des refusés, parlait à toute une population

1. Il avait hésité avec une appellation plus simple : la « Journée de l'écriture » ou encore la « Fête de l'écriture ». Mais, finalement, il avait préféré mettre en avant les auteurs non publiés : c'était une façon non pas de célébrer l'amateurisme mais de valoriser ceux qui n'avaient pas pu être reconnus.

désireuse d'être lue. Augustin Trapenard profita de l'occasion pour inviter à la radio un philosophe hongrois spécialiste de la question de l'effacement, et en particulier de l'œuvre de Maurice Blanchot. Mais il y eut un problème : cet homme vivait si intensément son sujet qu'il laissait des blancs interminables entre ses phrases; comme s'il voulait lui-même s'effacer progressivement de l'antenne.

Pick avait ainsi été sur toutes les lèvres, symbolisant le rêve d'être un jour reconnu pour son talent. Comment croire ceux qui disent écrire pour eux? Les mots ont toujours une destination, aspirent à un autre regard. Écrire pour soi serait comme faire sa valise pour ne pas partir. Si le roman de Pick plaisait, c'était surtout l'histoire de sa vie qui touchait les gens. Elle faisait écho à ce fantasme d'être un autre, le super-héros dont personne ne sait les capacités extraordinaires, cet homme si discret dont le secret est de posséder une sensibilité littéraire imperceptible. Et moins on en savait sur lui, plus il fascinait. Sa biographie ne laissait rien paraître d'autre qu'une vie banale, linéaire. Cela renforçait l'admiration, pour ne pas dire le mythe. De plus en plus de lecteurs voulurent aller sur ses traces, et se recueillir sur sa tombe. Le cimetière de Crozon accueillait ses admirateurs les plus fervents. Madeleine les croisait parfois. Ne comprenant pas leur démarche, elle n'hésitait pas à leur demander de partir et de laisser son mari tranquille. Était-elle du genre à penser qu'on pouvait réveiller un mort ? En tout cas, il était possible de troubler ses secrets.

Ces visiteurs particuliers passaient également à la pizzeria des Pick. Ils étaient déçus de constater qu'une crêperie en avait pris la place. Les nouveaux propriétaires, Gérard Misson et sa femme Nicole, devant cette affluence aussi surprenante que bénie, décidèrent d'ajouter des pizzas à la carte. Les premiers jours furent catastrophiques ; le crêpier peinait à assumer la mutation. « Je dois faire des pizzas maintenant… tout ça à cause d'un livre », répétait-il, incrédule, en essayant de se familiariser avec le four. Bientôt, la crêperie serait définitivement oubliée. Et de plus en plus de clients voudraient visiter le sous-sol où Pick avait écrit son roman. Misson organiserait le pèlerinage avec plaisir, n'hésitant pas à broder, au fil des mois, une histoire dont il ne possédait aucun élément. Ainsi s'inventait le roman du roman.

Un matin, alors qu'il rangeait ses produits dans la réserve, Gérard Misson décida d'y descendre une petite table du restaurant. Il prit une chaise, et s'installa. Lui qui n'avait jamais écrit une ligne pensa que l'inspiration venait peut-être du lieu magique, et qu'il suffisait de s'asseoir derrière une table avec une feuille et un stylo pour que le miracle se produise. Mais rien ne se passa. Pas une idée, rien. Pas l'ombre d'une phrase. C'était tout de même plus facile de faire des crêpes (ou même des pizzas). Il fut terriblement déçu, s'étant laissé aller quelques jours à la rêverie de devenir lui aussi un écrivain à succès.

Son épouse le surprit dans cette improbable posture.
« Qu'est-ce que tu fais ?
— Ce… ce n'est pas du tout ce que tu crois.
— Tu es en train d'écrire ? Toi ? »
Nicole partit dans un fou rire, et remonta en salle. Une attitude plutôt tendre, mais Gérard se sentit comme humilié. Sa femme ne l'estimait pas capable d'écrire, ou simplement être dans un moment de réflexion. Ils ne parlèrent plus de cet instant, mais ce serait le début d'une fissure dans leur couple. Il faut parfois agir de manière surprenante, déraper du quotidien en quelque sorte, pour savoir vraiment ce que l'autre pense de nous.

4

Cette faille dans le couple Misson fut l'une des innombrables conséquences de la publication du roman de Pick. Ce roman changeait les vies. Et, bien sûr, la notoriété du livre devint celle de la bibliothèque des refusés.

Magali, qui ne s'en souciait plus vraiment depuis des années, dut à nouveau organiser l'espace consacré aux oubliés de l'édition. Au début, ce ne fut l'affaire que de quelques individus, mais rapidement elle fut débordée. À croire que chaque Français avait un manuscrit sous le coude. Beaucoup ignoraient qu'il fallait venir le déposer physiquement ; des dizaines de romans se mirent donc à arriver chaque jour, comme dans une grande maison d'édition parisienne. Dépassée par la situation, Magali demanda de l'aide à la mairie, qui ouvrit une annexe à la bibliothèque, réservée exclusivement aux livres refusés. Crozon devenait la ville emblématique des écrivains non publiés.

Il était étrange de voir cette petite ville du bout du monde, habituellement si calme, sillonnée par ces ombres humaines, ces hommes et ces femmes animés du goût des mots. On repérait immédiatement ceux qui venaient déposer leur manuscrit. Mais tous n'avaient pas une allure de vaincu. Certains trouvaient *chic* de laisser un texte ici, même un journal intime. La ville accueillait les mots de tous, dans un déversement baroque. Parfois, les écrivains venaient de très loin ; on croisa deux Polonais venus exprès de Cracovie pour laisser ce qu'ils estimaient être un chef-d'œuvre incompris.

Un jeune homme, Jérémie, vint du Sud-Ouest pour abandonner un recueil de nouvelles et quelques fragments poétiques, fruit de son travail des derniers mois. Âgé d'une vingtaine d'années, il ressemblait à Kurt Cobain, une figure longiligne et voûtée, les cheveux blonds, longs et sales ; mais de cette apparence brouillonne se dégageait une lumière émouvante. Jérémie semblait en retard sur son époque, tout droit sorti d'un album photo des années 1970. Ses textes étaient influencés par René Char ou Henri Michaux. Sa poésie, qui se voulait engagée et intellectuelle, demeurait surtout inaccessible à quiconque n'était pas lui. Jérémie avait la fragilité de ceux qui ne trouvent pas leur place, et qui errent indéfiniment à la recherche d'un endroit où poser leur tête.

Magali était fatiguée d'accueillir sans cesse les porteurs de manuscrits, et maudissait parfois Gourvec pour son idée farfelue. Plus que jamais, elle trouvait ce projet absurde, n'y voyant que la somme de travail supplémentaire qu'il impliquait. Quand elle aperçut Jérémie, elle se dit qu'il s'agissait encore d'un paumé en manque de reconnaissance qui allait lui tenir la jambe comme les autres. Plutôt souriant, il présenta son texte. Son attitude douce contrastait avec son apparence rugueuse, sauvage. Elle apprécia finalement sa présence, et put enfin se rendre compte à quel point il était beau.

« Je vous fais confiance pour ne pas lire mon manuscrit, dit-il presque en chuchotant. C'est très intime tout de même.

— Ne vous inquiétez pas… », répondit Magali, rougissant un peu.

Jérémie savait que cette femme allait lire ce qu'il avait écrit, justement à cause de ce qu'il venait de dire. Cela n'avait pas d'importance. Cet endroit était comme une île où l'idée d'être jugé n'avait plus d'importance. Ici, il se sentait léger. Habituellement très timide, malgré son apparente assurance, il resta un instant dans la bibliothèque à observer Magali. Décontenancée par ce regard bleu posé sur elle, elle tenta de justifier ses gestes. Mais il était évident qu'elle brassait du vent depuis qu'il était rentré. Pourquoi la regardait-il comme ça ? C'était peut-être un psychopathe ? Non, il semblait doux, inoffensif. Ça se voyait à sa façon de marcher, parler, respirer ; il semblait s'excuser d'exister. Pourtant, il émanait de lui un indéniable charisme. Impossible de détourner les yeux de cet homme à l'allure d'apparition[1].

Il resta encore un moment sans lui parler. Parfois, ils échangeaient des sourires. Il s'approcha finalement de Magali :

« On pourrait boire un verre peut-être ? Après votre travail ?

— Un verre ?

— Oui, je suis seul ici. Je suis venu de loin pour déposer mon manuscrit. Je ne connais personne… alors, ce serait bien si vous pouviez.

— C'est d'accord… », répondit Magali, se surprenant elle-même par cette réplique spontanée qui n'avait pas été validée par sa raison. Mais elle avait dit oui… alors, elle irait boire un verre avec

1. Si Magali avait connu Pasolini, elle aurait pu penser au film *Théorème*, à son héros qui fait vaciller les âmes par la simple puissance de sa présence fantomatique.

lui. C'était juste pour être polie, il ne connaissait personne. D'ailleurs, c'était pour cette raison qu'il voulait boire un verre avec elle, rien d'autre. Il ne veut pas être seul, ça se comprend, voilà, c'est pour ça qu'il veut boire un verre avec moi, pensa Magali, qui moulina de longues secondes sur la situation.

5

Quelques minutes plus tard, elle adressa un message à son mari : elle avait beaucoup de travail en retard. C'était la première fois qu'elle lui mentait ; non par choix, mais parce que jusqu'ici elle n'avait jamais eu besoin de s'écarter de la vérité. Seulement, Crozon est une petite ville, et tout se sait. Le mieux était peut-être de rester dans la bibliothèque, après la fermeture. Elle y avait un bureau où ils pourraient boire un verre. Pourquoi acceptait-elle ? Elle se sentait comme aimantée par ce moment à vivre. Si elle refusait, il ne se passerait plus jamais rien dans sa vie. N'avait-elle pas rêvé de ça ? Il lui était difficile de savoir ce qu'elle ressentait exactement. Elle ne se posait plus la question de ses désirs, ni même de sa sexualité, depuis longtemps. Son mari ne la touchait plus vraiment, il s'excitait parfois sur elle dans un soulagement mécanique, qui pouvait être agréable d'ailleurs, mais tout cela prenait l'allure d'un accouplement primaire sans la moindre note de sensualité. Et puis voilà que ce jeune homme voulait boire un verre avec elle. Quel âge avait-il ? Il semblait plus jeune que ses fils. Peut-être vingt ans ? Elle espérait que ce n'était pas moins. Cela deviendrait sordide. Mais elle n'allait pas lui poser la question. Elle ne voulait rien savoir de lui, finalement, laisser l'instant dans un mystère, une non-réalité qui n'empiéterait sur rien du reste de sa vie. Et puis, ils allaient juste boire un verre, voilà, juste boire un verre.

Il était maintenant en train de finir sa bière en la regardant fixement. Elle détourna son visage, cherchant une contenance, lâchant deux ou trois phrases sans la moindre importance pour gêner l'insoutenable silence. Jérémie lui demanda de se détendre : il n'y avait aucune obligation à parler. Ils pourraient rester ainsi, ça lui irait très bien. Il était opposé à tout type de conventions dans les relations, au premier rang desquelles figurait cette obligation de parler quand on est deux. Pourtant, il relança la discussion :

« C'est une étrange bibliothèque.

— Étrange ?

— Oui, c'est bizarre tout de même, ce coin pour les livres refusés. Un coin maudit ou quelque chose comme ça.

— Ce n'est pas mon idée.

— Et alors ? Tu en penses quoi ?

— Pour moi, ça n'existait plus. Et puis, il y a eu ce livre de Pick.

— Tu crois que c'est vraiment lui qui l'a écrit ?

— Oui, bien sûr. Pourquoi ça ne serait pas lui ?

— Pour rien. Tu fais des pizzas, tu ne lis jamais un livre, et après ta mort on découvre que tu as écrit un grand roman. C'est très bizarre, non ?

— Je ne sais pas.

— Est-ce que toi, tu fais des choses que personne ne sait ?

— Non…

— Et cette bibliothèque, qui en a eu l'idée ?

— C'est celui qui m'a embauchée. Jean-Pierre Gourvec.

— Et il écrivait, lui ?

— Je ne sais pas. Je ne le connaissais pas tant que ça.

— Tu as passé combien de temps avec lui ?

— Un peu plus de dix ans.

— Tu étais tous les jours avec lui pendant dix ans dans cet endroit minuscule, et tu dis que tu ne le connaissais pas.

— Oui, enfin… on parlait. Mais ce qu'il pensait, je ne sais pas trop.

— Tu vas lire mon livre, tu crois ?

— Je ne pense pas. Sauf si tu le souhaites. Je n'ouvre jamais les livres qu'on dépose. Faut dire que c'est souvent mauvais. Tout le monde se croit écrivain maintenant. Et c'est encore pire depuis le succès de Pick. À les écouter, les gens sont tous des génies incompris. Voilà ce qu'on me dit. Je me farcis tellement de cas sociaux.

— Et moi ?

— Quoi toi ?

— Tu as pensé quoi de moi quand tu m'as vu ?

— …

— Tu ne veux pas me le dire ?

— Je t'ai trouvé beau. »

Magali n'en revenait pas de parler ainsi. Simplement. Elle aurait pu être gênée par le côté interrogatoire de la discussion, mais non, elle voulait échanger avec lui encore longtemps ; et boire jusqu'au matin, en espérant même que cette nuit-là n'aboutisse pas à une nouvelle journée mais qu'elle se perde quelque part dans une faille temporelle. Si elle était franche et directe, elle n'évoquait jamais ses sentiments ou ses émotions. Pourquoi avait-elle avoué qu'elle le trouvait beau ? C'était la donnée principale, qui écrasait les autres. Elle pouvait aimer lui parler, mais c'était mineur par rapport au désir qui la gagnait. Depuis quand n'avait-elle pas ressenti cela ? Elle était incapable de le dire. Peut-être que c'était la première fois, après tout. Ce désir était aussi intense que le vide érotique qui l'avait précédé. Jérémie la regardait fixement, un très léger sourire sur le visage ; on pouvait croire qu'il prenait du plaisir à ralentir le temps, à ne rien précipiter.

Enfin, il se leva, et s'approcha. Il posa la tête sur son épaule. Elle tenta de maîtriser son souffle, espérant ne pas trahir les ahurissants battements de son cœur. Jérémie glissa sa main le long du corps de Magali, releva sa robe ; avant même de l'embrasser, il la pénétra avec son doigt. Elle s'accrocha à lui démesurément, le simple fait d'être touchée la faisant basculer dans un monde oublié. Il l'embrassa alors avec vigueur, en maintenant sa nuque fermement ; elle bascula en arrière, légère comme si son corps s'évaporait dans le plaisir. Il prit sa main et la dirigea vers son sexe ; elle le fit sans regarder, et s'activa maladroitement, mais il était suffisamment excité. Il lui dit de se lever et de se retourner, et la prit immédiatement par-derrière. Impossible pour Magali de savoir combien de temps cela dura, chaque seconde effaçant la précédente dans une intensité physique procurant l'oubli du présent.

6

Ils étaient maintenant tous deux allongés au sol dans la pénombre. Magali la robe remontée, Jérémie le pantalon baissé. Elle entendit son téléphone sonner, sûrement son mari, mais cela n'avait pas d'importance. Elle espérait refaire l'amour le soir même, subitement stupéfaite d'avoir passé sa vie à l'abri des autres corps. Mais elle se rhabilla, gênée d'être ainsi dénudée. Comment avait-il pu la désirer ? Et pourquoi elle ? Il pouvait avoir toutes les femmes, probablement. On aurait dit un mirage, ou une rencontre qui n'arrive que dans les films. Elle ne devait pas s'emballer, mais simplement savourer la beauté du moment ; il repartirait, et ce serait parfait ; elle pourrait vivre et revivre chaque seconde du souvenir dans sa mémoire, et cela lui permettrait que cela existe à nouveau.

« Pourquoi tu te rhabilles ?

— Je ne sais pas.

— Tu dois rentrer ? Ton mari t'attend ?

— Non. Enfin oui.

— J'aimerais que tu restes, si tu peux. Je vais sûrement passer la nuit ici si tu es d'accord. Je n'ai pas pris de chambre.

— Oui, bien sûr.

— J'ai envie de toi encore.

— Tu ne me trouves pas…

— Quoi ?

— Tu ne me trouves pas trop grosse ?

— Non, pas du tout. J'aime les femmes avec des formes, ça me rassure.

— Tu avais autant besoin que ça d'être rassuré ?

— … »

7

Inquiet, José envoya un nouveau message ; il allait venir à la bibliothèque. Magali répondit qu'elle s'excusait d'avoir été happée par l'inventaire, qu'elle rentrait immédiatement. Elle ramassa ses affaires, de manière désordonnée, tout en jetant des regards sur l'homme avec qui elle venait de faire l'amour.

« Je suis donc un inventaire, soupira-t-il.

— Je dois rentrer, je n'ai pas le choix.
— Ne t'inquiète pas, je le sais.
— Tu seras là demain matin ?» demanda Magali qui connaissait parfaitement la réponse. Il allait repartir ; c'était le genre d'homme qui partait. Pourtant, il répondit qu'il serait là avec une intense conviction dans la voix ; cela paraissait sûr. Il l'embrassa une dernière fois, sans rien dire. Pourtant il sembla à Magali entendre des mots. Avait-il parlé ? La confusion des sens faisait déraper le moment dans ces petites hallucinations où il faut agripper l'autre pour être certain du réel. Finalement, il chuchota à nouveau : « Demain matin, viens avant l'ouverture de la bibliothèque, et réveille-moi avec ta bouche... » Magali ne chercha pas à comprendre la signification précise de cette demande érotique, se laissant uniquement animer par le bonheur de ce rendez-vous corporel ; dans quelques heures, ils seraient à nouveau ensemble.

Une fois dans sa voiture, alors qu'elle devait se dépêcher de rentrer, elle demeura en suspens avant de démarrer. Elle activa les lumières, puis le moteur. Chaque geste anodin prenait une proportion quasi mythologique, comme si ce qui venait de se passer se répandait partout dans sa vie. Même la route qu'elle empruntait chaque jour depuis des décennies lui parut différente.

SEPTIÈME PARTIE

1

Il y a quelques années, Jean-Michel Rouche possédait une réelle influence sur le milieu littéraire. On craignait ses articles, et notamment son édito du *Figaro littéraire*. Il aimait posséder ce pouvoir, se faisait désirer pour déjeuner avec les attachées de presse, laissait toujours un blanc avant d'émettre un avis sur tel ou tel roman, qui tombait comme un oracle. Il était le prince d'un royaume éphémère qu'il croyait éternel. Il suffit de la nomination d'un nouveau directeur du journal pour qu'il soit remercié. Un autre éditorialiste récupérerait le prestige de la fonction qui, à son tour, serait renvoyé quelques années plus tard ; c'était la valse incessante de cette puissance fragile.

Sans s'en rendre compte, Rouche s'était fait beaucoup d'ennemis au temps de sa gloire. Il n'avait pas pensé être méchant ou injuste, mais honnête intellectuellement avec ce qu'il ressentait, dénonçant les postures et les écrivains surestimés. Il n'avait pas toujours agi avec la conscience d'une carrière à mener ; on ne pouvait pas lui retirer ça. Mais il lui fut impossible de retrouver un espace où s'exprimer ; ni à la radio ni à la télévision, et encore moins en presse écrite. Progressivement, on l'oublierait ; il deviendrait un nom qu'on a sur le bout de la langue.

Pourtant, la période de galère qu'il traversait ne l'avait pas rendu amer, mais presque bienveillant. Il animait des tables rondes dans des villes de province, se rendant compte que derrière chaque écrivain, y compris les plus médiocres, il y avait une énergie de travail et le rêve d'accomplir une œuvre. Il partageait des buffets froids et des cigarettes roulées avec les témoins de son déclin. Le soir, dans sa chambre d'hôtel, il se focalisait sur ses cheveux, découvrant avec effroi la progression inexorable de leur disparition. Surtout sur le haut de son crâne. Il établissait un parallèle entre sa vie sociale et sa vie capillaire ; la preuve était claire : il avait commencé à perdre ses cheveux au moment de son licenciement.

Dès la parution du livre de Pick, il avait développé une sorte d'obsession pour cette histoire. Brigitte, sa compagne depuis trois ans, ne comprenait pas pourquoi il parlait si souvent de cette publication qu'il jugeait louche. Selon lui, ça sentait la mise en scène littéraire :

« Tu vois des complots partout, répondit Brigitte.

— Je ne crois pas qu'un artiste ait envie de demeurer caché. Enfin, ça arrive, mais c'est très rare.

— Pas du tout. Plein de gens possèdent un talent qu'ils préfèrent garder pour eux. Moi, par exemple, est-ce que tu sais que je chante sous la douche ? annonça Brigitte, toute fière de sa repartie mi-sonore mi-liquide.

— Non, je ne le savais pas. Enfin, je ne veux pas te vexer, mais je ne crois pas que ce soit tout à fait la même chose.

— …

— Écoute, je le sens, c'est comme ça. Quand on saura la vérité, ça va en surprendre plus d'un, je te le dis.

— Moi, je trouve que c'est une belle histoire et j'y crois. Toi, tu es blasé, et c'est triste. »

Jean-Michel ne sut que répondre à cette dernière réplique un peu brutale. C'était encore un reproche. Il sentait bien que Brigitte se lassait de lui. Cela ne le choquait pas. Il perdait ses cheveux, prenait du poids, ne menait pas une vie sociale palpitante, et gagnait de moins en moins d'argent ; il ne pouvait plus l'inviter au restaurant sur un coup de tête. Il devait préméditer la moindre de ses dépenses.

À vrai dire, tout cela importait peu à Brigitte. Elle attendait surtout qu'il retrouve sa fougue de leurs débuts ; sa façon de raconter des histoires, de s'enthousiasmer. Même si la plupart du temps il était doux et attentif, elle sentait sa part sombre grignoter du terrain. Il se laissait envahir par l'aigreur. Elle n'était finalement pas étonnée qu'il soit incrédule à propos de cet auteur breton. Pourtant, elle se trompait. C'était même le contraire de ce qu'elle pensait. Quelque chose en Jean-Michel se réveillait. Cela faisait si longtemps qu'il n'avait pas été animé d'une telle motivation. Il voulait mener l'enquête, avec la certitude que le résultat serait déterminant pour lui. Grâce à Pick, il allait revenir sur le devant de la scène littéraire. Pour cela, il devait se laisser guider par son intuition et trouver les éléments de la supercherie. Pour commencer, il se rendrait en Bretagne.

Il implora Brigitte de lui prêter sa voiture. Il y avait de quoi hésiter : elle savait qu'il conduisait mal. Mais elle n'était pas contre l'idée qu'il s'éloigne quelques jours. Cela pourrait leur faire du bien, à tous les deux. Alors elle accepta, en lui intimant d'être très prudent, car elle n'avait plus assez d'argent pour payer une assurance superflue. Il prépara son sac rapidement, et s'installa au volant. À peine deux cents mètres plus loin, en négociant mal son premier virage, il érafla la Volvo.

2

Après avoir vu Madeleine à la télévision, Rouche était persuadé qu'il ne tirerait d'elle aucune nouvelle information. Il fallait directement se concentrer sur la fille, qui aimait se répandre dans les interviews. Pour l'instant, on lui avait simplement demandé de raconter des anecdotes du passé, rien de bien méchant, mais Rouche allait tout faire pour qu'elle lui montre un maximum de documents. Il était persuadé de pouvoir trouver quelque part une preuve que son intuition était juste. Joséphine ne se lassait pas de l'engouement médiatique. Elle en profitait pour parler de sa boutique, et cela lui faisait une publicité appréciable. Le journaliste avait lu les articles sur Internet, et n'avait pu s'empêcher de la juger négativement, pour ne pas dire un peu stupide.

Sur l'autoroute, en roulant vers Rennes, il fut obnubilé par l'éraflure. Brigitte allait très mal le prendre. Il pourrait toujours nier en être le responsable. C'était plausible. Il avait retrouvé la voiture dans cet état ; un vandale qui n'avait même pas laissé son numéro de téléphone, voilà tout. Mais il était certain qu'elle ne le croirait pas. Il avait tout du type qui érafle une voiture qu'on lui prête. Il pourrait promettre de la réparer, mais avec quel argent ? La précarité compliquait toutes ses relations aux autres. À commencer par le fait d'avoir dû emprunter une voiture. S'il en avait eu les moyens, il en aurait loué une, en prenant tous les suppléments d'assurance, avec l'option «éraflures comprises».

En roulant, il repensa aussi aux derniers mois. Il se demandait jusqu'où la spirale de l'échec le propulserait. Il avait quitté son appartement bourgeois, pour s'installer dans une chambre au dernier étage d'un bel immeuble parisien; avec une telle adresse, il pouvait continuer de faire bonne figure. Personne ne savait qu'il empruntait non l'ascenseur mais l'escalier de service. La seule à qui il avait fini par avouer la vérité était Brigitte. Après plusieurs semaines de relation amoureuse, il ne pouvait plus cacher la réalité. Il avait refusé pendant des semaines de l'inviter chez lui, si bien qu'elle avait fini par l'imaginer marié. Elle fut finalement soulagée de découvrir une tout autre histoire : Jean-Michel était ruiné. Cela n'avait pas d'importance à ses yeux. Depuis toujours, elle s'était battue seule pour élever son fils, et n'avait jamais compté sur personne. En apprenant la vérité, Brigitte avait souri; elle tombait toujours sous le charme d'hommes fauchés. Mais, les mois passant, cela devenait un inconvénient.

À l'approche de Rennes, Rouche tenta d'oublier l'éraflure et le constat général sur les dégâts de sa vie pour se concentrer sur son enquête. En roulant, il se sentait vivre. Il faut parfois laisser défiler le paysage pour être certain d'exister. Certes, il n'enquêtait pas sur un meurtre ni sur une série de disparitions au Mexique[1], mais il devait dévoiler une supercherie littéraire. N'ayant pas conduit depuis longtemps, il estima préférable de faire une pause. Heureux finalement, il but une bière dans une station-service, et hésita entre plusieurs barres chocolatées. Il préféra enchaîner avec une autre bière. Il s'était promis de moins boire, mais ce n'était pas une journée comme les autres.

Rouche arriva à Rennes en milieu d'après-midi. Sans l'aide d'un GPS, il lui fallut une heure de plus pour trouver la boutique de Joséphine. Il trouva une place juste devant : c'était pour lui davantage un symbole qu'une information concrète. Il n'en revenait pas, cela le mit dans une joie disproportionnée. Pendant des années, à chaque fois qu'il avait l'occasion de conduire, il était du genre à tourner et à tourner encore pour finalement se garer sur une place réservée aux livraisons, ce qui le mettait dans un état de stress pour toute la soirée. Aujourd'hui, tout était différent. Ému par cette nouvelle donne, il manqua son créneau et érafla à nouveau la voiture.

À peine s'était-il réjoui que la réalité de sa condition navrante l'avait rattrapé. Pire : il ne pourrait plus faire croire à Brigitte qu'il n'y était pour rien. La probabilité pour se faire vandaliser deux fois en une journée était faible. À moins d'inventer une origine malveillante. Quelqu'un qui lui

1. Il était en train de lire *2666* de Roberto Bolaño.

en voudrait, à cause de son enquête. Il n'arrivait pas à juger du degré de crédibilité de cette hypothèse. Qui pouvait lui en vouloir d'enquêter sur un possible auteur fantôme caché derrière un pizzaiolo breton ?

3

Un peu dépité, et pour se donner du courage avant d'accomplir le premier acte de son enquête, il décida d'aller boire une bière au bar d'en face. Puis il commanda *la petite sœur*, expression chère aux buveurs qui, sous ce trait de douceur et d'ironie tendre, masquent la réalité d'un engrenage systématique.

Quelques minutes plus tard, il pénétra dans la boutique. Il avait davantage l'air d'un vieux pervers venu reluquer des petites culottes que d'un homme voulant offrir de la lingerie fine à sa femme. Mathilde, la nouvelle vendeuse, s'approcha de lui. Bac + 5 après une école de commerce, elle avait eu beaucoup de mal à trouver un emploi stable. Après avoir enchaîné les petits boulots, elle avait enfin décroché un contrat. Cette aubaine, elle la devait au roman d'Henri Pick. Les interviews avaient fait une telle publicité à la boutique que Joséphine avait dû embaucher une assistante. Pour le coup, Mathilde avait lu *Les Dernières Heures d'une histoire d'amour* et l'avait trouvé très triste ; mais elle avait la larme facile.

« Bonjour, que puis-je faire pour vous ? demanda-t-elle à Rouche.

— J'aimerais parler à Joséphine. Je suis journaliste.

— Je suis désolée, elle n'est pas là.

— Elle revient quand ?

— Je ne sais pas. Mais je ne pense pas que ce sera aujourd'hui.

— Vous pensez ou vous savez ?

— Elle a dit qu'elle partait pour quelque temps.

— C'est flou. On peut peut-être l'appeler ?

— J'ai déjà essayé, elle n'est pas joignable.

— C'est bizarre tout de même. Il y a encore quelques jours, on la voyait partout.

— Non, ce n'est pas bizarre. Elle m'a prévenue. Elle avait peut-être besoin d'une pause, c'est tout.

— Une pause », reprit-il tout bas, en trouvant étrange cette disparition subite.

À cet instant entra une femme d'une cinquantaine d'années. La vendeuse lui demanda ce qu'elle voulait, mais elle ne répondit pas. Gênée, elle tourna la tête vers Rouche. Il comprit qu'il était responsable de son silence. Cette femme n'avait visiblement pas envie d'évoquer ses désirs de lingerie devant lui. Il remercia rapidement Mathilde, et quitta la boutique. Ne sachant que faire, il s'installa à nouveau à la terrasse d'en face.

4

Au même moment, Delphine et Frédéric finissaient un déjeuner qui avait traîné en longueur. Elle avait tellement travaillé ces derniers mois qu'elle prenait enfin un peu de temps pour elle, et pour *son auteur préféré*. Il lui avait reproché de moins la voir, ce qui ne l'empêchait pas d'apprécier ces phases de solitude (un de ses nombreux paradoxes). Selon lui, être à deux ne se limitait pas au temps passé ensemble.

Delphine se concentrait sur sa carrière. On la sollicitait de plus en plus, pour la féliciter ou tenter de la débaucher. D'autres éditeurs voyant en elle une de ces futures papesses de l'édition qui flairent avant tout le monde les succès à venir. Elle se sentait parfois gênée d'être au centre des attentions ; un jour, on se rendrait compte qu'elle était toujours une petite fille, on la démasquerait. Pour l'instant, le livre d'Henri Pick approchait les 300 000 exemplaires, un score qui dépassait de loin tous les espoirs.

« Grasset organise dans dix jours une soirée pour fêter ce succès, annonça Delphine.

— C'est sûr que ce n'est pas avec mes ventes qu'on aurait organisé un cocktail.

— Ça arrivera. Je suis certaine qu'on obtiendra un prix pour ton prochain roman.

— C'est gentil de dire ça. Mais je ne suis pas breton, je ne fais pas de pizzas, et pire que tout : je suis vivant.

— Arrête…

— Mon dernier livre, j'ai passé deux ans à l'écrire. J'ai dû en vendre 1 200 exemplaires, en comptant ma famille, mes amis, et les livres que j'ai achetés moi-même pour les offrir. Il y a aussi ceux qui ont dû se tromper en l'achetant. Et les passants qui avaient pitié de moi quand je faisais une dédicace en librairie. Au fond, si on ne comptabilise que les vrais achats, j'ai dû vendre deux livres », conclut-il avec un sourire.

Elle ne put refréner un fou rire. Delphine avait toujours aimé l'autodérision de Frédéric, mais cela frôlait parfois l'aigreur. Il reprit :

« La mascarade s'amplifie. Tu as vu que de nombreux éditeurs envoient des stagiaires à Crozon ? Ils espèrent découvrir une autre pépite. Quand tu sais les livres sans queue ni tête qu'on a vus là-bas, c'est vraiment n'importe quoi.

— Laisse-les faire. Cela n'a pas d'importance. Ce qui compte pour moi, c'est ton prochain livre.

— Justement, je voulais te dire que j'ai le titre.

— Ah bon ? Et tu m'annonces ça comme ça ? C'est merveilleux.

— …

— Alors ? Dis-le-moi !

— Il va s'appeler : *L'homme qui dit la vérité* ».

Delphine regarda Frédéric droit dans les yeux, sans rien dire. Est-ce qu'elle n'aimait pas ? Elle finit par balbutier qu'il était difficile de juger un titre sans avoir pris connaissance du texte. Frédéric précisa qu'elle pourrait bientôt le lire.

Quelques minutes plus tard, il lui demanda de prendre son après-midi. Comme lors de leur premier rendez-vous, il voulait marcher avec elle, et faire l'amour. Delphine fit mine d'hésiter (et c'est sûrement cela qu'il détesta le plus), mais annonça avoir trop de travail, notamment avec cette fête à préparer. Il n'insista pas (et c'est sûrement cela qu'elle aurait voulu) et ils se quittèrent au milieu de la rue par un baiser effleuré censé contenir la promesse d'un échange plus intense. Frédéric la regarda partir, se focalisant sur l'image de son dos dans l'espoir qu'elle se retourne. Il rêvait qu'elle lui adresse un dernier signe, comme un geste qu'il pourrait emporter avec lui pour attendre leur prochain rendez-vous. Mais elle ne se retourna pas.

5

Rouche avait passé l'après-midi vissé à la terrasse du café, enchaînant les bières à un rythme indolore. Son enquête commençait par une impasse, il ne savait que faire. La veille, il s'était rêvé en chevalier téméraire de la littérature française, avec le sentiment que sa vie reprenait enfin une dimension acceptable. Mais il s'était fracassé sur une réalité peu coopérative. Joséphine n'était plus dans les parages ; on ignorait quand elle reviendrait. Il ne pouvait pas s'estimer piètre enquêteur, n'ayant même pas eu la chance de commencer quoi que ce soit ; il était un coureur automobile tombé en panne sur la ligne de départ[1]. Tout se dérobait sous ses pieds depuis des années, et rien n'y faisait : le destin continuait de s'acharner contre lui. L'alcool provoque soit un enthousiasme plus ou moins communicatif, soit un déchaînement de visions noires et pathétiques. Le liquide bu se retrouve donc confronté à deux routes dans le corps, et doit choisir ; chez Rouche, il avait emprunté le chemin négatif agrémenté d'une pointe d'autodénigrement.

Heureusement, il venait de recevoir un mail du service de presse des éditions Grasset l'invitant à un cocktail pour fêter le succès de Pick. Il avait trouvé plutôt cocasse de lire ce message alors qu'il était sur la trace de ce qu'il subodorait être une supercherie ; mais son sentiment principal n'était pas celui-là. Prédominait en lui le simple bonheur d'être sur la liste des invités ; cela voulait dire qu'on ne l'oubliait pas complètement. Mois après mois, on l'avait de plus en plus souvent écarté des cérémonies ; la fin de son pouvoir avait impliqué la

1. Étrange comparaison mécanique, puisque le seul fait marquant depuis son départ était une double éraflure de la voiture.

fin de sa vie sociale ; on ne l'invitait plus à déjeuner, certaines attachées de presse avec qui il pensait entretenir des liens d'amitié s'étaient détournées de lui, de manière non agressive mais pragmatique, ne pouvant plus passer de temps avec un journaliste dont l'influence médiatique se résumait aux derniers lambeaux d'une peau de chagrin. Sa joie d'être convié le fit sourire, lui qui auparavant soufflait devant le trop-plein de sollicitations ; vient un jour où, au cœur du déclin, on se prend à aimer follement ce qu'on ne voyait plus.

En buvant tranquillement ses bières, il avait observé le ballet incessant de ces femmes entrant et sortant de la boutique de lingerie. Il avait imaginé chaque cliente se dévêtant dans la cabine d'essayage, non de manière libidineuse mais plutôt se laissant aller à une rêverie adolescente. Il pensa qu'on pouvait sûrement comprendre les secrets et la psychologie des femmes en étant le témoin de leurs achats de sous-vêtements. Ce fut l'une de ses innombrables théories de l'après-midi (l'alcool). La dernière cliente partie, Mathilde sortit et ferma le magasin. Elle aperçut alors de l'autre côté du trottoir cet homme qui l'avait interrogée quelques heures plus tôt sur sa patronne. Totalement désinhibé, il lui lança un grand sourire amical, comme s'ils se connaissaient depuis toujours. La jeune femme fut plutôt surprise par le contraste saisissant avec la personnalité renfermée et mal à l'aise avec qui elle avait échangé quelques mots.

Après son sourire, Rouche enchaîna avec un petit geste pouvant aussi bien signifier un bonsoir amical qu'une invitation à venir le rejoindre. Mathilde pouvait choisir ce qu'elle préférait. Avant de révéler sa décision, il faut préciser un élément important : elle ne connaissait personne à Rennes. Venant d'un petit village de Loire-Atlantique, elle avait fait ses études à Nantes, avant de saisir l'occasion d'un emploi à Rennes. Plus le chômage était important, plus on se délocalisait facilement ; ainsi, en temps de crise économique, il n'était pas rare de constater dans les villes des foules entières de solitudes. C'est ainsi qu'elle se dirigea vers Rouche. Elle l'apostropha aussitôt :

« Vous êtes toujours là ?

— Oui. Je me suis dit qu'elle repasserait peut-être dans l'après-midi, balbutia-t-il pour se justifier.

— Non, elle n'est pas venue.

— Elle vous a appelée ?

— Non plus.

— Vous ne voulez pas boire un verre avec moi ?

— ...

— Vous n'allez quand même pas me dire "non" trois fois de suite ?

— C'est d'accord », répondit Mathilde, souriant à sa dernière réplique.

Le journaliste l'observa alors avec stupéfaction. Il y avait si longtemps qu'une inconnue n'avait pas accepté de boire un verre avec lui, spontanément, sans la moindre obligation professionnelle.

Il avait tenté un peu d'humour, sans trop y croire ; il fallait donc admettre qu'on pouvait être bon quand on n'avait rien à perdre. Il devait mener son enquête de la même façon. Foncer, sans penser à la moindre obligation de résultat. Mais il y avait une conséquence : elle était là, maintenant, à côté de lui. Il allait donc devoir lui parler. Oui, il ne lui avait pas demandé de le rejoindre pour partager du silence. Mais quels mots ? Que fallait-il dire dans ce genre de situation ? Pour ne rien arranger, à partir du moment où elle avait accepté de boire un verre avec lui, Rouche s'était mis à la trouver très belle. Ce qui accentua son angoisse. C'était trop tard : il devrait être drôle, intéressant, charmant. Un trio impossible. Pourquoi lui avait-il proposé de s'asseoir ? Quel idiot. Et elle, comment avait-elle pu accepter de boire un verre avec un homme capable d'érafler deux fois sa voiture le même jour ? Elle avait tout de même sa part de responsabilité dans le moment présent. Pendant sa réflexion, il avait masqué ses angoisses par de petits sourires factices. Mais Rouche sentait bien que Mathilde pouvait tout lire sur son visage. Il était devenu incapable de paraître.

Opportunément, le serveur passa à ce moment-là. Mathilde indiqua vouloir une bière ; Rouche commanda plutôt un Perrier pour faire demi-tour sur la route liquide, et retourner vers la sobriété. Pour éviter que la gêne ne se réinstalle, il enchaîna sur son enquête :

« Vous ne savez donc pas où elle est ?

— Non, je vous l'ai dit.

— Vous êtes sûre ?

— Vous êtes journaliste ou flic ?

— Je suis journaliste, ne vous inquiétez pas.

— Je ne suis pas inquiète. Pourquoi, je devrais l'être ?

— Mais non… non, pas du tout.

— Joséphine a dit qu'elle avait fait assez d'interviews comme ça. Mais c'était très bon pour la boutique.

— …»

Quand Rouche ne savait que dire, il laissait tout simplement un silence en plein milieu de la conversation. Les épreuves qu'il avait traversées avaient gommé chez lui tout artifice social. Son visage aussi avait été transformé par les difficultés, modifiant les aspects cyniques en incertitudes, faisant tomber les plis durs et sévères les uns après les autres pour laisser apparaître un visage presque apeuré, qui inspirait une confiance teintée de pitié. Mathilde, touchée par cet inconnu, décida de lui raconter ce qu'elle savait.

6

Tout avait commencé une dizaine de jours auparavant. Joséphine était arrivée tout excitée un matin à la boutique ; cela avait été une vision très particulière : elle se tenait debout, immobile, pourtant on aurait pu jurer qu'elle sautillait.

Mathilde, qui, jusqu'à présent, avait plutôt eu affaire à une femme certes chaleureuse mais peu encline aux effusions, avait été surprise de découvrir une nouvelle facette de sa personnalité ; elle semblait animée par une énergie qui lui rappelait davantage des amies de son âge. Comme toute adolescente ayant vécu une expérience exaltante, il lui était impossible de garder pour elle ce qui se passait. Elle se confia aux premières oreilles disponibles, celles de sa jeune vendeuse :

« C'est incroyable. J'ai passé la nuit avec Marc. Tu te rends compte ? Après tant d'années... »

Mathilde, incapable de mesurer l'intensité de la situation, joua la comédie en écarquillant les yeux avec un certain talent dans l'art de paraître enthousiaste. À vrai dire, sa réaction avait surtout été dictée par l'étonnement d'entendre des propos intimes prononcés par sa patronne, une femme qu'elle connaissait si peu. Elle écouta le long monologue de Joséphine en maintenant cette expression sur son visage.

Marc était donc son ex-mari, qui l'avait quittée pour une autre femme, du jour au lendemain. Elle s'était retrouvée seule, puisque leurs deux filles étaient parties ouvrir un restaurant à Berlin. Avec le recul, cela avait peut-être été ça le plus dur : la solitude. Mais c'était sa faute. Elle n'avait pas voulu voir d'amies, et encore moins les témoins du passé. Tout ce qui lui rappelait Marc la brûlait. Et, en presque trente ans de vie commune, il s'était répandu partout. À Rennes, elle évitait tous les quartiers qu'ils avaient fréquentés ensemble, et cela réduisait la ville à un tout petit périmètre autorisé. S'ajoutait ainsi au désespoir la géographie d'une prison.

Mais il avait renoué en l'appelant. Quand elle avait décroché, il avait simplement dit : « C'est moi. » Comme si cette légitimité du « c'est moi » était une donnée impérissable. Il faisait revivre d'un coup leur intimité. C'est bien dans les couples qu'on n'appelle plus l'autre par son prénom. Après quelques phrases banales sur le passage du temps, il avoua :

« Je t'ai vue dans le journal. C'est fou. Je n'en revenais pas. Ça m'a fait quelque chose.

— …

— Incroyable, cette histoire de roman écrit par ton père. Jamais je n'aurais cru…

— …

— Allô ? Tu es là ? »

Oui, elle était là.

Mais elle était incapable de répondre tout de suite.

C'était Marc qui l'appelait.

Il finit par lui proposer un rendez-vous.

Elle balbutia qu'elle était d'accord.

7

Se revoir ainsi après plusieurs années, c'est comme un premier rendez-vous. Joséphine était obnubilée par son apparence : qu'allait-il penser? Elle avait forcément vieilli; elle s'observa longuement dans le miroir, et fut plutôt surprise de se trouver belle. Elle n'avait pourtant pas pour habitude de s'envoyer des fleurs. Bien au contraire, elle s'était souvent plongée dans l'autodénigrement avec une aisance épuisante, mais depuis quelque temps elle renouait avec le goût de vivre et cela se traduisait, semblait-il, par une mine rajeunie. Comment avait-elle pu gâcher tant d'années à se tuer de chagrin? Elle avait presque honte d'avoir souffert, comme si les douleurs n'étaient pas des soumissions au corps mais des décisions de l'esprit. Elle avait cru que tout était fini, qu'elle pourrait maintenant croiser Marc dans la rue sans souffrir, mais c'était faux : en entendant sa voix au téléphone, elle comprit aussitôt qu'elle n'avait jamais cessé de l'aimer.

Il lui donna rendez-vous dans un café où ils aimaient déjeuner, du temps de leur histoire. Joséphine décida d'y aller en avance; elle préférait être assise quand il arriverait. Elle ne voulait surtout pas errer, à le chercher du regard, au risque d'être détaillée par lui. Elle s'en voulait d'avoir peur de son jugement; elle n'avait plus rien à perdre maintenant. Rien n'avait changé, le décor était identique, ce qui ajoutait une confusion au moment vécu. Le présent s'habillait du passé. Elle commanda un verre de vin rouge, après avoir hésité entre toutes sortes de boissons possibles, de la tisane au jus d'abricot en passant par le champagne. Le vin rouge lui paraissait un bon compromis pour marquer l'intensité de leurs retrouvailles sans être toutefois trop festif. Tout lui paraissait compliqué ; elle se demanda même quelle position adopter. Où placer ses bras, ses mains, ses jambes, son regard ? Devait-elle avoir l'air faussement décontractée, ou marquer l'attente en se tenant bien droite, comme à l'affût ? Il n'était pas encore là, et c'était déjà épuisant.

Il arriva enfin, un peu en avance lui aussi. Il se précipita vers elle, avec un grand sourire.

« Ah, tu es déjà là ?

— Oui, j'avais un rendez-vous dans le quartier... », répondit Joséphine en s'arrangeant avec la vérité. Ils s'embrassèrent chaleureusement, et restèrent un moment à se regarder en souriant. Finalement, Marc lança :

« Ça fait tout drôle de se voir, non ?

— Tu dois me trouver horrible.

— Pas du tout. Je t'ai vue dans le journal, tu sais. Et je me suis dit que tu n'avais pas du tout changé. C'est plutôt moi...

— Non. Tu es le même. Toujours aussi...

— J'ai pris du ventre », coupa-t-il.

Il commanda à son tour un verre de rouge, et ils se mirent à parler sans le moindre blanc. On aurait dit qu'ils ne s'étaient jamais quittés. Leur complicité était totale ; bien sûr, ils évitaient pour l'instant les sujets qui fâchaient. C'est toujours plus simple de s'entendre en traversant des échanges indolores et neutres, en évoquant les films récents ou les dernières péripéties de personnes qui furent jadis des amis communs. Ils enchaînèrent quelques verres dans cette légèreté renouvelée ; mais était-elle réelle ? Joséphine ne cessait de penser à l'autre femme. La question lui brûlait les lèvres au point de devoir sortir subitement de sa bouche, aussi impossible à retenir qu'un homme quittant en courant une maison en feu :

« Et… l'autre ? Tu es toujours avec elle… ?

— Non. C'est fini. Depuis plusieurs mois.

— Ah bon ? Pourquoi ?

— C'était compliqué. On ne s'entendait plus…

— Elle voulait un enfant ? devina Joséphine.

— Oui. Mais il n'y avait pas que ça. Je ne l'aimais pas.

— Au bout de combien de temps tu t'en es rendu compte ?

— Assez vite. Mais comme j'avais gâché notre histoire pour elle, je me suis menti. Jusqu'au moment où je me suis décidé à partir.

— Et pourquoi as-tu voulu me revoir ?

— Je te l'ai dit. Je t'ai vue dans le journal. C'était comme un signe. Je ne le lis jamais, tu sais bien. Au début, je ne me sentais pas autorisé à t'appeler. Je t'ai fait tellement souffrir. Et puis, je ne connaissais pas ta vie…

— Ça, je n'y crois pas. Les filles ont dû te raconter.

— Selon elles, tu es toujours célibataire. Mais tu ne leur dis peut-être pas tout…

— Non, je n'ai rien caché. Après toi, il n'y a eu personne. J'aurais pu, mais je n'ai jamais pu.

— …»

Alors que la conversation n'avait jamais connu de temps mort, un silence grave s'installa. Marc proposa d'aller dîner ailleurs. Bien qu'elle fût certaine de ne rien pouvoir avaler, elle accepta.

8

Pendant le repas, Joséphine dut admettre l'étrange destination que prenait cette soirée. Cela ne ressemblait pas à des retrouvailles classiques où l'on fait le bilan des années passées l'un sans l'autre, non, cela prenait une tout autre allure. Marc évoquait de plus en plus clairement le désir de la retrouver. D'ailleurs, ne rêvait-elle pas ? Non, il répétait son manque, son envie du passé, ses erreurs. Il baissait parfois la tête en scandant ses nouveaux espoirs. Habituellement si sûr de lui, souvent arrogant, voilà qu'il tâtonnait. En constatant son désarroi, l'émotion de Joséphine redoubla ; et son assurance aussi. Elle était la première surprise d'être si à l'aise, mais c'était bien le cas ; à présent, tout était limpide. Elle n'avait vécu les dernières années que dans l'attente de ce moment. Elle utilisa sa serviette pour éponger une goutte de sueur sur la tempe de son ex-mari, et ainsi tout recommença.

Un peu plus tard, ils firent l'amour chez Marc. C'était une sensation particulière de retrouver après tant d'années un corps si bien connu. Joséphine ressentit la peur d'une première fois mêlée à une connaissance parfaite de l'autre. Mais une chose avait changé : la détermination de Marc à lui donner du plaisir. Si elle avait toujours aimé faire l'amour avec lui, les dernières années avaient été mécaniques. Ses attentions érotiques s'étaient raréfiées. Tel ne fut pas le cas de ce soir-là. Elle retrouvait son mari armé de l'énergie d'un nouveau combat à mener. Par le corps, il voulait lui donner les gages du changement. Joséphine voulait se laisser aller mais n'arrivait pas à se libérer totalement de la conscience de l'acte. Il lui faudrait du temps encore pour être capable de faire l'amour sans y penser. Elle éprouva néanmoins un réel plaisir, et tous deux demeurèrent dans la stupéfaction de ce qui venait de se produire. Joséphine finit par s'endormir dans les bras de Marc. En ouvrant les yeux, elle put constater que tout ce qu'elle avait vécu était bien réel.

9

Les jours suivants, ils continuèrent sur cette lancée. Ils se retrouvaient le soir pour dîner, évoquant souvenirs et erreurs, projets et bonheurs, et finissaient par faire l'amour chez Marc. Il paraissait heureux et épanoui ; par bribes, il évoquait comment l'autre femme l'avait étouffé, privé de son espace de liberté, voulant tout contrôler de sa vie. Et puis, il lui fallait des cadeaux, la rassurer par l'argent. Joséphine n'aimait pas ces confidences. Cela la replongeait dans sa souffrance et, au bout du compte, lui laissait un goût amer. Il fallait contourner le passé :

« N'en parlons plus, n'en parlons plus s'il te plaît…

— Oui, tu as raison. Excuse-moi.

— C'est fini.

— Tu aurais imaginé ton père capable d'écrire une telle histoire ? demanda Marc, changeant subitement de sujet.

— Quoi ?

— Le livre de ton père… Tu aurais pu l'imaginer ?

— Non. Mais je n'aurais pas pu prédire non plus ce qui nous arrive. Alors tout est possible.

— Oui, c'est vrai. Tu as raison. Mais nous, on ne vend pas autant de livres !

— C'est certain.

— Ils t'ont donné les chiffres ?

— De quoi ?

— Eh bien… justement… des ventes de ton père. J'ai lu dans la presse que le livre s'était vendu à plus de 300 000 exemplaires.

— Oui, je crois bien. Et ça continue.

— C'est colossal, ajouta Marc.

— Je ne me rends pas bien compte de ce que ça représente, mais je crois que c'est beaucoup, oui.

— Je te le confirme.

— C'est surtout bizarre. Mes parents ont travaillé toute leur vie, ont vécu d'une manière si modeste, et voilà que mon père laisse un livre qui va rendre ma mère riche. Mais bon, tu la connais. L'argent, elle s'en fout. Ça ne m'étonnerait pas qu'elle donne tout à des œuvres.

— Tu crois ? Ça serait dommage. Tu devrais en parler avec elle. Tu pourrais réaliser tous tes rêves. T'acheter enfin un bateau…

— Ah, tu te souviens…

— Bien sûr, je me souviens de tout. De tout… »

Joséphine avait effectivement été surprise qu'il se rappelle ce détail. Un désir de bateau qui remontait à sa jeunesse. Pour elle, la véritable liberté n'existait que sur l'eau. Élevée face à l'Atlantique, elle avait passé son enfance à contempler les vagues. Quand elle retournait à Crozon, c'était souvent la première chose qu'elle faisait, avant même d'aller voir sa mère : saluer l'océan. Elle s'endormit en pensant à ce bateau qu'elle pourrait peut-être acheter. Jusqu'à présent, elle n'avait pas parlé avec sa mère des droits d'auteur générés par le livre de son père. Leur vie allait forcément changer.

10

Pour l'instant, les conséquences avaient surtout été médiatiques. Joséphine continuait de recevoir des appels de journalistes sollicitant des interviews et des détails inédits. Elle avait promis de faire des recherches, mais elle ne voyait pas très bien ce qui pourrait être utile. On avait insisté : et des lettres ? Des documents écrits ? Comme un flash, un élément lui était alors revenu en mémoire. Elle était quasiment persuadée que son père lui avait écrit une lettre l'été de ses neuf ans. Elle l'avait reçue alors qu'elle était en colonie de vacances dans le sud de la France. Elle s'en souvenait, car c'était la seule. À l'époque, on ne se téléphonait pas pendant les séparations. Pour garder le contact avec sa fille, il avait dû se résoudre à lui écrire. Qu'avait-elle fait de ce courrier ? Que lui racontait-il ? Elle devait le retrouver coûte que coûte. Ce serait enfin une trace écrite laissée par son père. Plus elle y pensait, plus elle se disait qu'il avait fait exprès de ne laisser aucune preuve nulle part. Un homme capable d'écrire dans l'ombre un si grand roman savait exactement ce qu'il faisait.

Où avait-elle pu la ranger ? Incapable de mettre son cerveau en veille, Joséphine réfléchissait souvent pendant son sommeil. Cette nuit-là, elle s'approcha mentalement de l'endroit où elle avait mis la lettre. Il lui faudrait une ou deux nuits pour trouver la solution. Les gens qui ne dorment pas profondément sont soit épuisés, soit épuisants pour les autres. Joséphine vivait sans cesse au cœur de ce rythme bipolaire, alternant les journées où elle se sentait vivre au ralenti et celles où elle se sentait portée par une grande énergie. Chaque matin, à la boutique, Mathilde ne savait pas si elle allait retrouver un mollusque ou une pile électrique. Ces derniers jours, il s'agissait surtout de la seconde variante. Joséphine parlait sans cesse. Elle avait envie de raconter ce qu'elle vivait à la terre entière, cette planète se résumant à la personne présente dans son périmètre visuel. En l'occurrence : Mathilde. La jeune vendeuse écoutait, avec un certain plaisir il faut dire, le récit détaillé des retrouvailles entre Marc et Joséphine. Elle aimait bien voir cette femme pour qui elle avait une réelle sympathie (après tout, elle l'avait embauchée) gesticuler à la manière des filles de son âge.

La nuit suivante, Joséphine se plongea encore dans sa mémoire pour tenter de se remémorer où elle avait mis la lettre. Après son divorce, elle avait déposé beaucoup de cartons à Crozon, mais elle se souvenait avoir conservé sa collection de disques. Elle avait hésité à les garder, n'ayant plus de platine pour les écouter, mais les vinyles lui rappelaient son adolescence. Il lui suffisait d'observer les pochettes pour qu'émerge immédiatement un souvenir. En plein rêve, elle s'était revue placer dans une pochette de disque la lettre de son père ; elle avait fait ce geste plus de trente ans auparavant, en se disant : « Un jour, j'écouterai cet album et je serai surprise de la retrouver. » Oui, elle était certaine d'avoir agi ainsi. Mais dans quel disque ? Elle annonça à Mathilde qu'elle devait repasser chez elle pour écouter ses vieux vinyles. La jeune vendeuse ne parut pas surprise, comme si les derniers jours l'avaient accoutumée aux étrangetés comportementales de sa patronne.

11

En roulant vers son appartement, Joséphine pensa aux Beatles et aux Pink Floyd, à Bob Dylan et à Alain Souchon, à Janis Joplin et à Michel Berger, et à tant d'autres. Pourquoi n'écoutait-elle plus de musique ? À la boutique, elle mettait parfois en fond sonore Radio Nostalgie, mais sans écouter vraiment, simplement pour l'ambiance. Elle repensa à la fièvre qu'elle éprouvait à chaque fois qu'elle achetait un nouveau 33-tours, à son désir de l'écouter le plus vite possible. Quand elle écoutait un disque, elle ne faisait que ça ; assise sur son lit en regardant la pochette, elle se laissait envahir par le son. Tout cela était fini. Elle s'était mariée, avait eu deux filles, et cessé d'écouter ses albums. Et puis, les CD étaient arrivés comme s'il fallait que la technologie justifie ce délaissement sonore.

Une fois chez elle, elle descendit à la cave pour prendre ses deux cartons de disques recouverts de poussière. Bien sûr, elle se sentait excitée et pressée de retrouver la lettre, mais elle prit un plaisir inouï, et donc accompagné par la lenteur, à contempler toutes les pochettes. Chaque disque était un souvenir, un moment, une émotion. En les parcourant, elle était face à des instants de sa vie, des profondes mélancolies mélangées aux rires sans raison. Elle les ouvrait toutes en espérant tomber sur la lettre ; elle avait aimé glisser dans les pochettes des petits mots, des billets de cinéma et autres papiers qui passeraient ainsi les années, cachés dans la musique pour ressurgir un jour ou l'autre. Sa vie se recomposait, bribe par bribe ; toutes les Joséphine du passé se retrouvaient en une réunion teintée de nostalgie, et c'est ici, au cœur de cette nostalgie, qu'elle retrouva la lettre de son père.

Elle était cachée dans l'album de Barbara *Le Mal de vivre*. Pourquoi avait-elle glissé la lettre de son père dans ce disque précisément ? Alors qu'elle aurait dû immédiatement l'ouvrir, elle resta un instant à observer le 33-tours. C'était l'album de cette si belle chanson, *Göttingen*. Joséphine se souvenait l'avoir tellement écoutée ; elle avait voué une admiration considérable à cette chanteuse à la force noire. Fascination éphémère, comme souvent les passions adolescentes, mais elle avait vécu plusieurs mois au rythme des mélodies mélancoliques de Barbara. Elle téléchargea sur son téléphone *Göttingen* pour pouvoir l'écouter immédiatement, et se laissa bercer :

Bien sûr nous, nous avons la Seine
Et puis notre bois de Vincennes,
Mais Dieu que les roses sont belles
À Göttingen, à Göttingen.

Nous, nous avons nos matins blêmes
Et l'âme grise de Verlaine,
Eux c'est la mélancolie même,
À Göttingen, à Göttingen.

Barbara rendait un hommage sublime à cette ville, et surtout au peuple allemand. En 1964, c'était un acte fort. Enfant juive cachée pendant la guerre, la chanteuse avait longtemps hésité avant de venir se produire dans le pays ennemi. En arrivant, son attitude fut peu amicale. Elle fit des caprices à cause du piano prévu, et apparut avec deux heures de retard pour le concert. Rien n'y fit, elle fut ovationnée et aimée. Les organisateurs avaient mis tout leur cœur à faire de son séjour une réussite. Jamais la chanteuse n'avait été reçue ainsi, et elle en fut émue aux larmes. Elle décida de prolonger son séjour et écrivit ces quelques lignes plus puissantes que n'importe quel discours. Joséphine ne savait pas tout du contexte qui entourait cette chanson, mais elle avait été bouleversée par cette mélodie en forme de ritournelle, comme un carrousel qui vous prendrait dans ses bras. C'était peut-être pour cela finalement qu'elle avait glissé dans cette pochette l'unique lettre de son père. Avec la chanson de Barbara en fond sonore, elle relut les mots écrits quarante ans auparavant. Son père surgissait du néant pour les lui chuchoter à l'oreille.

En rentrant à la boutique, Joséphine décida de déposer la lettre dans le petit coffre qu'elle réservait habituellement à l'argent liquide. L'après-midi continua sur un rythme effréné, avec beaucoup de clientes, bien plus qu'à l'habitude ; cette journée avait une intensité particulière. De manière générale, les dernières semaines avaient marqué une rupture avec les années précédentes, comme si la vie se vengeait un jour ou l'autre du vide ou de l'absence de péripéties humaines.

Ce soir-là, Marc vint chercher Joséphine devant sa boutique. Mathilde observa discrètement cet homme dont elle entendait parler sans cesse. Elle ne l'avait pas du tout imaginé ainsi. Il y avait un décalage total entre le Marc formé par son esprit au gré des anecdotes racontées par sa patronne et le Marc réel qui attendait en fumant une cigarette sur le trottoir. Elle préféra instinctivement celui qui n'existait pas ; celui qu'elle avait inventé d'après les mots de Joséphine.

12

Après avoir dîné, le couple nouvellement recomposé se rendit chez Marc. Joséphine préférait qu'ils dorment chez lui. Elle n'était pas à l'aise avec l'idée de l'inviter, comme si son appartement la dévoilait entièrement. Elle avait raconté à Marc l'histoire de la lettre retrouvée. Elle était heureuse de partager avec lui ce grand moment ; il semblait enthousiaste, et répétait à quel point cette histoire de roman était merveilleuse. Avant d'ajouter :

« Comme nos retrouvailles…

— Oui.

— Tu aimes bien Richard Burton ? demanda Marc, sans la moindre raison apparente.

— Qui ça ?

— Richard Burton, l'acteur.

— Ah oui, celui qui joue dans *Cléopâtre*. Le mari de Liz Taylor. Pourquoi tu me demandes ça ?

— Justement, tu sais qu'ils se sont mariés et ont divorcé… et puis ils se sont mariés une seconde fois…

— … »

Que voulait-il dire ? Est-ce que c'était une nouvelle demande en mariage ? Depuis qu'ils passaient leurs nuits ensemble, elle s'était promis de ne rien imaginer. De simplement se laisser guider par ce plaisir inattendu. Marc finit par constater :

« Tu ne dis rien.
— … », confirma Joséphine.

Marc prit la main de Joséphine pour la guider vers le lit, mais elle préféra rester sur le canapé. Ce qu'elle éprouvait la rendait statique. Elle se mit à pleurer subitement. C'est toute la beauté des larmes ; elles peuvent avoir deux significations opposées. On pleure de douleur, on pleure de bonheur. Peu de manifestations physiques ont cette identité à deux têtes, comme pour matérialiser la confusion. Mais à cet instant, la main de Joséphine effleura un tissu sous le coussin du canapé. Elle baissa la tête, pour découvrir un vêtement féminin.

« Qu'est-ce que c'est ?
— Je ne sais pas », dit-il gêné, en attrapant la culotte.

Joséphine le laissa s'expliquer. Il ne comprenait pas comment elle s'était retrouvée ici. Elle avait dû glisser, et ressurgir avec leur présence. C'était absurde, il valait mieux en rire.

« Tu la vois encore ? demanda Joséphine.
— Non. Bien sûr que non.
— Pourquoi tu m'as menti ?
— Mais non, je te dis la vérité.
— Qu'est-ce qui me le prouve ?
— Je te promets. Je ne l'ai pas vue depuis des mois. On s'est quittés fâchés. Elle a vécu ici longtemps. Alors, c'est possible que cette culotte soit restée cachée dans un pli du canapé.

— …

— Je t’en prie, n’en fais pas une histoire. »

Marc avait prononcé ces mots avec une fermeté extrêmement convaincante. Joséphine trouvait tout de même la situation acide. L’apparition d’un fantôme du passé, et par le biais d’un sous-vêtement, au moment où ils parlaient de se remarier. Fallait-il y voir un signe ? Marc continua son monologue, tentant de minimiser l’incident. Il jeta la culotte par la fenêtre, pour s’en débarrasser de manière théâtrale et amusante. Joséphine accepta de passer à autre chose. En revanche, plus question de parler mariage ce soir.

13

Cette nuit-là, elle fut incapable de s’endormir. Ce petit bout de tissu retrouvé sous un coussin la maintenait en éveil ; elle ne cessait d’y penser. Marc dormait près d’elle, alternant à son habitude des phases de ronflement et de silence (il était double dans son sommeil). À côté de lui, sur la table de chevet, était posé son téléphone portable ; Joséphine se laissa obséder par l’envie de l’allumer et d’y lire les messages. Jamais, du temps de leur mariage, elle n’avait fouillé dans ses affaires, y compris dans les moments où elle avait des raisons d’être suspicieuse ; ce n’était pas forcément une question de confiance mais de respect de la liberté de l'autre. Au cœur de cette nuit, il lui sembla que c'était différent. Elle avait cinquante ans, un âge qui imposait de ne plus se tromper dans ses choix. Il voulait l'épouser à nouveau ; elle ne pouvait s'embarquer ainsi, les yeux fermés et le cœur ouvert.

Elle se leva sans bruit, et s'empara de l'appareil. Elle s'enferma dans la salle de bains avec le portable. Quelle idiote, il avait bien sûr verrouillé son téléphone. Elle essaya un code qui ne fonctionna pas. Il n'avait certainement pas choisi sa date d'anniversaire. Elle pouvait en tenter deux autres. C'était absurde d'essayer de voir ses messages ; elle le connaissait mieux que quiconque. Ils avaient vécu presque trente ans ensemble, avaient deux filles : que pouvait-elle espérer trouver ? Elle connaissait ses qualités, ses défauts, et parfois les deux étaient liés. Elle avait lu dans un article que de plus en plus de couples se reformaient. Il n'était plus rare de retrouver son premier amour, et vivre cette seconde fois en étant armé de la connaissance de l'autre. Elle ne pouvait plus être déçue par Marc ; elle l'avait trop été par le passé. Tout en se raisonnant ainsi, elle ne put s'empêcher de continuer à chercher le code. Marc adorait ses filles, et allait souvent les voir à Berlin. Peut-être avait-il simplement mis leurs deux dates de naissance, deux chiffres côte à côte, le 15 et le 18.

Elle essaya ainsi « 1518 », et le téléphone se déverrouilla.

Joséphine demeura bouche bée. Jamais, elle n'avait pensé trouver le code aussi facilement. Elle avait été poussée par une impulsion qui resterait, selon toute vraisemblance, stérile. Mais non, le destin en décidait autrement, prenant une allure de manifestation quasi divine. De l'autre côté de la porte, elle entendait toujours le souffle fort de Marc. Appuyant sur l'onglet « messages », elle vit le prénom de Pauline apparaître ; ce prénom qu'elle s'était toujours refusée à prononcer ; celle envers qui elle avait développé une haine démesurée, sans être capable de mesurer si cette violence était méritée ou non. Le premier constat était donc le suivant : Marc mentait. Il était encore en contact avec elle. Et le dernier message datait d'aujourd'hui, de ce soir même.

Assise sur le sol de la salle de bains, Joséphine fut prise d'un vertige. Avait-elle besoin d'aller plus loin ? Son malaise s'éclipsa immédiatement, laissant place à une hargne froide. Elle lut alors tous les messages, il y en avait tellement, des messages d'amour, des promesses de se retrouver bientôt, et des évocations du plan qui marchait à merveille. Le plan, c'était elle. Mais quel plan ? Pourquoi ? Elle ne comprenait pas. C'était à devenir folle. Sa respiration prenait des chemins incontrôlables, une anarchie dans son corps, elle ne pouvait plus rien maîtriser du feu qui se propageait en elle.

À cet instant, Marc frappa à la porte :

« Tu es là ? Mon amour ?

— …

— Qu'est-ce que tu fais ?

— …

— Ça va ? Je m'inquiète. Ouvre-moi. »

Marc entendait le souffle de Joséphine, qui ressemblait à une suffocation. Que se passait-il ? Elle était sûrement victime d'un malaise.

« Si tu n'ouvres pas, j'appelle les pompiers.

— Non, dit-elle froidement.

— Mais qu'est-ce qui se passe ?

— … »

Joséphine avait toujours les yeux rivés sur le téléphone et lisait des messages qui parlaient d'argent. Soudain, tout était clair. Tremblante, elle n'entendait plus les supplications de Marc. Il l'exhortait à ouvrir, à répondre, à s'expliquer. Que pouvait-elle faire ? Ouvrir la porte, le frapper de toutes ses forces ; ou bien partir sans rien dire. Elle avait si mal, elle ne se sentait pas capable d'un affrontement. Elle se leva, passa un peu d'eau sur son visage. Elle finit par sortir et se dirigea vers le canapé où elle avait posé ses affaires.

« Mais qu'est-ce qui se passe ? J'étais mort d'inquiétude.

— …

— Qu'est-ce que tu fais ? Pourquoi tu t'habilles ?

— …

— Tu ne veux pas me répondre. Mais dis-moi !

— Regarde dans la salle de bains, et laisse-moi », répondit alors Joséphine.

Marc s'exécuta, et vit aussitôt son téléphone sur le carrelage. Il retourna précipitamment vers Joséphine, pour l'implorer :

« Je t'en supplie, pardonne-moi. J'ai tellement honte…

— …

— Depuis plusieurs jours, je voulais t'en parler. Vraiment, je le voulais. Car tout était merveilleux avec toi, et je me sentais si bien.

— Tais-toi. Je ne te demande qu'une chose : tais-toi. Je m'en vais, et je ne veux plus jamais te voir. »

Subitement, Marc prit Joséphine par le bras, et la supplia. Elle le repoussa violemment. Excédée par son manège, elle explosa :

« Mais pourquoi ? Pourquoi tu m'as fait ça ? Comment tu as pu ?

— J'ai eu de très graves problèmes. Je n'ai plus du tout d'argent. J'ai tout perdu… et j'ai compris que tu allais être riche…

— Tu voulais m'épouser, me prendre mon fric… et après retourner avec ta pute ? Tu te rends compte de ce que tu dis ?

— Je n'étais plus lucide. J'étais complètement paumé. Oui, je m'en rends compte. Je… suis minable.

— Mais comment j'ai pu autant souffrir pour toi ?

— … »

Marc se mit à pleurer ; c'était la première fois que Joséphine le voyait avec des larmes. Aucun drame ne l'avait jamais fait sortir du monde des yeux secs. Cela ne changeait rien. Elle partit sans rien dire, il pouvait croupir dans sa médiocrité. Une fois dehors, elle chercha un taxi, en vain. Elle erra dans la nuit pendant presque une heure.

Joséphine avait mis des années à se recomposer et, à peine remise, Marc la tuait une nouvelle fois. Tout ça à cause de ce foutu roman. De son vivant, son père ne l'avait pratiquement jamais serrée dans ses bras, et voilà qu'il laissait derrière lui un livre qui semait le désastre. Elle avait souffert pendant toutes ces années, mais cela n'avait pas suffi. Il fallait continuer encore un peu ; il fallait vivre les dernières heures de l'histoire d'amour, comme si l'agonie n'avait pas été totalement accomplie.

14

Le lendemain matin, elle attendit l'arrivée de Mathilde au magasin pour lui annoncer qu'elle s'absentait *quelque temps*.

15

Rouche avait écouté le récit de Mathilde avec une concentration toute particulière, espérant repérer ici ou là une information essentielle pour son enquête. Bien sûr, il n'avait entendu que ce que savait la jeune vendeuse, c'est-à-dire une version partielle du drame qui s'était joué dans la vie de Joséphine. Mais, au cœur des derniers événements, il y avait un fait majeur : la fameuse lettre écrite par Pick. Rouche décida de ne pas y aller frontalement (il attendrait plutôt la deuxième question) :

« Et depuis, plus aucune nouvelle ? demanda-t-il.

— Non, plus rien. J'ai essayé de l'appeler, elle est sur répondeur.

— Et la lettre ?

— Quelle lettre ?

— La lettre de son père. Elle l'a prise avec elle ?

— Non, elle est dans le coffre. »

Mathilde avait prononcé ces derniers mots sans se rendre compte de leur importance pour Jean-Michel. Il était à quelques mètres d'une trace écrite de Pick[1]. Mathilde observa son acolyte d'un soir d'un œil amusé.

« Tout va bien ? demanda-t-elle.

1. Christophe Colomb s'apprêtant à poser un pied sur le continent américain.

— Oui, ça va. Je crois que je vais recommander une bière. C'est tellement déprimant le Perrier. »

Mathilde sourit. Elle aimait la compagnie de cet homme plus âgé, au physique un peu étrange ; si au premier abord il était plutôt repoussant, en l'observant de plus près on pouvait déceler un certain charme (ou bien était-ce l'alcool ?). Elle le trouvait de plus en plus touchant, avec cette façon de paraître toujours surpris, tel un homme sans cesse émerveillé d'être en vie. Il possédait cette énergie propre aux survivants, celle de se satisfaire d'un rien.

Quant à lui, il n'osait regarder Mathilde en face, préférant s'adresser au poteau qui était devant lui ; poteau qu'il aurait pu décrire avec bien plus d'aisance que le visage de la jeune fille. Il commença à trouver incongru qu'elle lui consacre autant de temps. Elle lui avait pourtant avoué : « Je ne connais personne dans cette ville. » Il faut au moins ça, pour qu'une fille passe une heure avec moi, pensa-t-il. Avant, ses reparties sortaient de sa bouche si facilement ; à présent, chaque mot qu'il prononçait était soupesé, étudié, pour finalement être balbutié. Ses ennuis professionnels avaient marqué la fin de son assurance. Heureusement, il avait rencontré Brigitte ; et il l'aimait ; en tout cas, il pensait toujours l'aimer. C'était elle qui semblait prendre ses distances. Ils ne faisaient plus beaucoup l'amour, et cela lui manquait. Sous l'effet d'un étrange mécanisme, plus Jean-Michel parlait avec Mathilde, plus il se sentait proche de

Brigitte. Cela ne l'empêchait pas d'avoir du désir pour cette jeune femme, mais son cœur demeurait sous la coupe consolante de la propriétaire d'une voiture doublement éraflée.

Peu avant minuit, Rouche osa enfin demander à Mathilde d'aller récupérer la lettre.

« Je devrais demander à Joséphine, non ?

— Je t'en prie. Montre-la-moi…

— Ça ne se fait pas… quand même », ajouta-t-elle, avant de partir dans un fou rire. Si le moment était crucial, il était surtout vécu avec de l'alcool dans le sang. Mathilde reprit :

« Bon, c'est d'accord, monsieur Rouche. C'est d'accord… mais si j'ai un problème, je dirai que tu m'as forcée.

— Oui, très bien. Un peu comme un braquage.

— Ou un chantage au soutien-gorge !

— Ça ne veut rien dire…

— Oui, j'avoue… », conclut Mathilde en se levant.

Le journaliste la suivit des yeux, émerveillé par sa démarche gracieuse et précise malgré la longue journée et l'enchaînement des bières. Elle revint deux minutes plus tard, en possession de la lettre. Rouche la prit, et l'ouvrit délicatement. Il se mit à la lire aussitôt. Plusieurs fois de suite. Il releva alors la tête. Tout était clair maintenant.

16

Mathilde n'avait pas voulu gêner la concentration du journaliste. Il semblait perdu dans ses réflexions. Pendant ce temps, la fraîcheur de la nuit l'avait raccompagné vers un état plus sobre. Au bout d'un moment, elle finit par demander :

« Alors ?

— …

— Tu en penses quoi ?

— …

— Tu ne veux rien me dire ?

— Merci. Simplement, merci.

— Je t'en prie.

— Est-ce que je peux la garder ? osa Rouche.

— Non. Là, tu m'en demandes trop. Je ne peux pas faire ça. J'ai bien senti que cette lettre était très importante pour elle.

— Alors, laisse-moi faire une copie. Tu dois bien avoir une photocopieuse dans la boutique ?

— Ça n'arrête jamais avec toi !

— C'est une phrase qu'on ne me dit pas souvent », répondit-il en souriant.

Ils auraient eu du mal à dire à partir de quelle bière ils avaient décidé de se tutoyer, mais leur connivence était réelle. Cela dit, elle aurait sûrement eu lieu avec de l'eau. Ils payèrent, et se dirigèrent vers la boutique. À minuit, dans la pénombre, Rouche fut effrayé par les mannequins. Il avait eu l'impression qu'ils conversaient entre eux, juste avant leur arrivée. Ils se figeaient en présence des humains, mais le reste du temps, ils parlaient de leurs envies d'évasion. Pourquoi se laissait-il envahir par de telles pensées à un moment si crucial? Mathilde venait de photocopier la lettre. Il en avait maintenant une copie.

17

Une fois dehors, Rouche pensa enfin aux aspects pratiques de son déplacement. Il n'avait pas pris de chambre d'hôtel. Il demanda à Mathilde si elle en connaissait un dans le coin.

« Pas trop cher, précisa-t-il aussitôt.

— Tu peux dormir chez moi, si tu veux… »

Rouche ne sut que répondre. Qu'est-ce que cela voulait dire exactement? Finalement, il décida de la raccompagner en voiture, pour se laisser le temps de réfléchir. Une fois arrivé, il lui dit :

« Tu ne devrais pas proposer à des inconnus de dormir chez toi comme ça…

— Tu n'es plus tout à fait un inconnu.

— Je pourrais être un psychopathe. Après tout, j'ai été critique littéraire pendant quelques années.

— Et toi, tu ne devrais pas te méfier? Qui te dit que je ne tue pas les vieux dépressifs dans ton genre?

— Pas faux. »

Ils continuèrent à parler un moment dans la voiture, sur un ton badin. Cela prenait la tournure typique des fins de soirée où il devient difficile de distinguer la séduction de la simple camaraderie. Que voulait Mathilde ? Elle en avait simplement marre d'être seule. Finalement, Rouche préféra ne pas monter. Et ce n'était pas forcément une victoire de son esprit sur son corps, mais plutôt un choix raisonnable dont il fut content. Depuis plusieurs minutes, dans un aller-retour permanent avec la situation présente, il ne cessait de penser à Brigitte. Sa conclusion était la suivante : son histoire n'était pas finie. Malgré les difficultés récentes, il ne s'avouait pas vaincu. Il l'aimait, et peut-être plus encore à cet instant. Bien sûr, il aurait pu monter chez Mathilde, et il ne se serait peut-être rien passé ; c'était d'ailleurs le plus probable. Mais il n'aurait pas fermé l'œil de la nuit, la sachant si belle et si près de lui. Non, il valait mieux qu'il reste dans sa voiture. Il dormirait sur la banquette arrière, avec la photocopie de la lettre de Pick près de lui. Après tout, il devait rester concentré sur sa mission.

18

Ils se prirent dans les bras un long moment. Mathilde monta chez elle, et Jean-Michel se dit qu'il ne la reverrait jamais.

19

Au début, rien n'avait paru anormal à Hervé Maroutou. Il se sentait simplement un peu plus fatigué que les jours précédents, mais après tout il vieillissait, et le métier de représentant n'était pas de tout repos. Sans compter la pression de plus en plus forte. Avec l'incessante progression de la production littéraire, il fallait batailler pour que les livres qu'on défendait se retrouvent en bonne place sur les étagères des librairies, ou encore mieux : en vitrine. En fin connaisseur de sa région, et avec les nombreux liens qu'il avait patiemment tissés, Maroutou restait un professionnel apprécié de tous. Il éprouvait toujours le même frémissement à lire un livre avant tout le monde, à le recevoir bien avant la publication pour pouvoir le présenter. Motivé par la jeune éditrice de Grasset, il avait réussi à communiquer l'enthousiasme de la maison sur le livre de Pick. Et, quel résultat ! Le roman continuait sur sa lancée exceptionnelle. Hervé venait de recevoir une invitation pour fêter justement ce succès ; ce qui lui faisait plaisir. Il n'était pas rare que les représentants soient chouchoutés au tout début de la vie d'un livre, mais quand la réussite était au rendez-vous, on pensait rarement à les inclure dans les festivités. C'était réparé avec cette soirée qui s'annonçait comme le point d'orgue d'une aventure littéraire peu commune.

Au bout de quelques semaines, il dut admettre que sa fatigue n'était pas ordinaire. Un matin, il se leva en vomissant, et passa la journée avec un mal de tête effroyable. Son dos lui faisait aussi très mal, une douleur étrange, comme une brûlure dans les lombaires. Pour la première fois depuis longtemps, il annula ses rendez-vous, incapable de conduire ou de parler. Il dormait alors au Mercure de Nancy, et décida de consulter un médecin. Il dut appeler plusieurs numéros avant de pouvoir obtenir un rendez-vous. Une fois dans la salle d'attente, il n'eut pas le cœur à feuilleter les vieux magazines éparpillés sur la table. Seul l'intéressait le moyen d'arrêter ses douleurs. Alors qu'il n'avait rien avalé le matin, il ressentit encore le besoin de vomir. Son corps tremblait. Mais pourtant il avait chaud. C'était à n'y rien comprendre ; une totale anarchie des sensations, comme si ses membres étaient le théâtre d'un combat entre deux armées. Il perdit peu à peu la notion du temps. Depuis combien de minutes était-il là, à attendre ?

Enfin, on vint le chercher. Le médecin avait le teint jaunâtre et paraissait souffreteux. Qui a envie de se faire soigner par un mourant ? Il lui posa quelques questions de manière mécanique. L'interrogatoire basique du patient sur ses antécédents et les maladies familiales. Maroutou fut rassuré d'être écouté, on allait trouver ce qu'il avait. Avec quelques cachets et un peu de repos, il pourrait vite reprendre son travail. Il irait aussitôt au Hall du livre, car il appréciait particulièrement la libraire ; elle lui avait fait confiance en commandant directement cent exemplaires du roman de Pick.

« Pouvez-vous tousser, s'il vous plaît ? demanda le médecin.

— Je n'y arrive pas, je ne me sens pas bien, souffla-t-il.

— Oui, votre respiration semble difficile.

— Qu'en pensez-vous ?

— Vous allez faire des analyses un peu plus poussées.

— Est-ce que je peux faire ça dans quelques jours ? À mon retour à Paris ? demanda Maroutou.

— Euh… le plus tôt serait le mieux… », annonça le médecin d'une voix gênée.

Quelques heures plus tard, au CHU de Nancy, Maroutou était adossé torse nu contre une plaque froide. Première étape d'une série d'examens. Qui fut suivie par d'autres. Ce n'était pas bon signe. Les médecins ne cessaient de vouloir *préciser le diagnostic*. Quand tout va bien, on le sait tout de suite. Préciser, c'est préciser le degré de gravité. Ce n'était pas la peine de tourner autour du pot, il voyait bien l'expression sur le visage des praticiens. On finit par lui demander s'il voulait savoir la vérité. Que peut-on répondre à cela ? « Non, j'ai fait des examens, mais ne me dites rien. » Bien sûr, il voulait savoir. C'était plutôt l'homme en face de lui qui semblait ne pas avoir envie de parler. Il est peu probable qu'on devienne médecin pour le plaisir d'annoncer une mort prochaine à un homme ou une femme.

« Quand ? demanda-t-il.
— Bientôt… »

Qu'est-ce que ça voulait dire, *bientôt* ? Un jour, une semaine, un an ? Selon lui, *bientôt* pouvait signifier quelques mois, et finalement cela ne changeait rien ; l'annonce marquait la fin de sa vie. Il pensa à sa femme un peu plus qu'à l'habitude. Elle était morte d'un cancer à trente-quatre ans, au moment où ils essayaient d'avoir un enfant. Dans son milieu professionnel, personne ne le savait. Maroutou avait vécu la vie d'errance des représentants, parce qu'il s'était promis de ne plus s'engager avec quiconque. Vingt ans plus tard, il la retrouvait dans l'écho d'une scène identique. Avec une différence majeure : il était seul pour affronter la peur. Lui, il avait pu tenir la main de sa femme, et ils s'étaient aimés jusqu'à son ultime souffle. Il n'avait jamais oublié les dernières heures de leur histoire d'amour, des heures paradoxalement paisibles et sereines. Ne restait plus que l'essentiel, l'amour dément d'un homme accompagnant sa femme à la mort. Est-ce qu'elle l'attendait de l'autre côté ? Il n'y croyait pas. Son corps s'était décomposé depuis longtemps, tout comme le sien le serait bientôt.

20

Le jour de la fête organisée par Grasset, Maroutou trouva la force nécessaire pour venir ; cela lui ferait du bien, sûrement, de retrouver des amis et des collègues. Il devait se forcer à vivre. Qui sait ? Il pourrait repousser la maladie, tout comme d'autres avaient réussi à le faire. Mais il n'avait pas cette énergie du combat ; seul, il se laissait glisser vers son dernier jour, en espérant souffrir le moins possible.

Épuisé, il préféra aller s'asseoir au fond de la salle, un peu à l'écart de la foule. En passant devant le bar, il demanda à la serveuse un whisky. La fête avait déjà l'allure d'une fin de mariage ; il était à peine vingt heures, et tout le monde paraissait éméché. Assis dans son coin, Maroutou fut rejoint par un homme gris.

« Bonsoir, je peux m'asseoir ici ?

— Bien sûr, répondit Maroutou.

— Rouche, se présenta aussitôt l'homme.

— Ah, je ne vous avais pas reconnu. Je me souviens de vos articles.

— Vous voulez que j'aille m'asseoir ailleurs ?

— Non, pas du tout. Maroutou, Hervé Maroutou. Enchanté.

— Enchanté », répéta Rouche.

Les deux hommes se serrèrent la main, deux mains molles qui conférèrent à cette poignée l'énergie d'un mollusque neurasthénique.

Ils échangèrent quelques mots sur leur point commun : ils buvaient tous deux du whisky.

« Et vous ? demanda Rouche. Vous faites quoi ?

— Je travaille pour Grasset. Je suis représentant. Sur l'est de la France.

— Ça doit être intéressant.

— Je vais arrêter bientôt.

— Ah ? Vous partez à la retraite ?

— Non, je vais mourir.

— … »

Rouche blêmit, puis balbutia qu'il était désolé. Maroutou reprit :

« Excusez-moi, je ne sais pas pourquoi je vous ai dit ça. En plus, personne ne le sait. Je n'en parle pas. Et là, d'un coup, c'est sorti. C'est tombé sur vous.

— Ne vous excusez pas. C'est sûrement important… que ça sorte. Je suis là, si vous voulez… enfin, je ne suis pas la compagnie la plus joyeuse.

— Pourquoi ?

— Non, c'est ridicule. Vous m'annoncez que vous allez mourir, alors je ne vais pas vous raconter mes problèmes.

— S'il vous plaît », insista Maroutou.

Rouche trouva la situation incongrue ; il allait évoquer ses malheurs pour divertir un futur mort. Depuis quelques jours, sa vie prenait une tournure étrange ; il se sentait comme un personnage de roman.

« C'est ma femme, commença Rouche en s'arrêtant aussitôt.

— Quoi, votre femme ?

— Enfin, façon de parler. Nous n'étions pas mariés.

— Et alors ? s'impatienta Maroutou.

— Elle vient de me quitter.

— Je suis désolé à mon tour. Ça faisait longtemps que vous étiez ensemble ?

— Trois ans. Et ça ne se passait pas forcément bien, mais je crois que je l'aimais. Enfin, je ne sais plus trop. Mais je m'accrochais à elle, à notre histoire, pour tenir le coup.

— Si je ne suis pas trop indiscret : pourquoi a-t-elle décidé de vous quitter ?

— À cause de sa voiture. »

21

C'était une façon un peu grossière de résumer la situation, mais pas totalement fausse. Après avoir dormi dans la Volvo, Rouche avait décidé de rentrer à Paris. La lettre qu'il avait récupérée suffisait à son enquête, pour l'instant tout au moins. C'était un élément capital. Repensant à la soirée avec Mathilde, il avait roulé heureux. Il faut se méfier de ces moments-là, pensa-t-il après coup, comme si l'aveu d'un bonheur le rendait aussitôt fragile.

À son retour, il se reposa une bonne partie de l'après-midi, et prit une douche avant d'accueillir Brigitte. Quand elle arriva, il tenta aussitôt de lui faire partager sa découverte majeure, mais elle ne parut pas intéressée. Il en éprouva une grande amertume. Rouche rêvait de retrouver un terrain d'entente avec elle, de connivence, un sujet qui alimenterait entre eux des discussions enflammées. Il était seul avec son histoire d'auteur à démasquer. Elle préféra l'interroger :

« Et avec la voiture, ça s'est bien passé ?

— …

— Pourquoi tu ne me réponds pas ?

— Pour rien.

— Qu'est-ce qu'il y a ?

— Rien. Quasiment rien.

— Tu t'es garé où ? »

Ils descendirent tous les deux, marchant l'un derrière l'autre ; une véritable atmosphère d'exécution. Face à l'état de la voiture, Brigitte fut épouvantée. Ce n'était pas grand-chose ; ça se réparait facilement, argumenta Jean-Michel. En d'autres circonstances, peut-être l'incident n'aurait-il pas eu autant d'importance, mais étant donné le contexte de plus en plus sinistre entre eux, elle y vit un symbole. Elle avait décidé de lui faire confiance, et voilà le résultat. Brigitte se focalisa un moment sur les deux éraflures, comme si la carrosserie représentait son propre cœur. Soudain, elle se sentit épuisée de ne pas être aimée comme elle le voulait.

« Je préfère qu'on se sépare.

— Quoi ? Tu ne vas pas me quitter pour une éraflure ?

— Il y en a deux.

— Peu importe. On ne se sépare pas pour ça.

— Je te quitte parce que je ne t'aime plus.

— Si j'avais pris le train, on serait encore ensemble ?

— … »

En passant la soirée de la veille avec Mathilde, Rouche s'était rendu compte de son amour pour Brigitte ; mais c'était trop tard. Elle avait accumulé trop de déceptions. Ils vivaient maintenant leurs dernières heures. Jean-Michel s'accrochait à l'illusion que tout s'arrangerait ; mais le regard de Brigitte ne laissait aucune place au doute. Cela ne servait à rien de quémander un sursis affectif. C'était fini. Il ressentit une intense brûlure dans le corps, ce qui le surprit. Desséché par les épreuves, il ne pensait pas que son cœur puisse encore être capable de saigner.

22

Maroutou confirma, après avoir écouté le récit de Rouche, que c'était un motif difficile à accepter pour une séparation. Mais le journaliste trouvait des excuses à Brigitte, rappelant qu'elle lui avait sûrement sauvé la vie à un moment où il avait toutes les raisons de sombrer. Il ne parvenait pas à lui en vouloir. Ils burent un nouveau whisky sur ce constat, avant d'enchaîner sur Pick.

« Vous avez donc enquêté sur cette histoire ? demanda Maroutou.

— Oui.

— Vous pensez qu'il n'est pas l'auteur de son livre ?

— Je ne le pense pas, je le sais », affirma Rouche en baissant la voix, comme s'il venait de révéler une affaire d'État susceptible de mettre en péril l'équilibre géopolitique mondial.

Plus les deux hommes ressentaient l'ambiance festive de la soirée, plus ils s'avachissaient dans leurs fauteuils. Il y a un moment où la joie des autres accentue votre désarroi. Une femme passa près d'eux :

« Vous me faites penser à Woody Allen et Martin Landau, à la fin du film *Crimes et délits*.

— Ah merci », répondit Rouche, sans savoir si c'était un compliment. Il ne se souvenait plus du film. Maroutou, lui, savait qu'il ne l'avait pas vu ; il avait toujours préféré lire plutôt que d'aller au cinéma. Mais ce qu'il aimait, est-ce que ça avait encore de l'importance ? À présent, tous les livres qu'il avait lus, aimés, défendus, formaient un amas de mots incompréhensibles ; il lui semblait qu'il ne lui restait plus rien de la beauté. Et sa vie même formait à ses yeux comme un objet grotesque.

« Je vais nous chercher deux autres whiskys, dit Rouche.

— Très bonne idée… », répondit son comparse d'un soir en n'entendant plus vraiment le son de sa propre voix. Maroutou ressentait comme des vibrations chaotiques : un bourdonnement qui l'empêchait de distinguer ce qui était extérieur à ses pensées. Le P.-D. G. des éditions Grasset, Olivier Nora, était en train de prononcer un petit discours remerciant chacun pour son travail, et tout particulièrement Delphine Despero. Maroutou reconnut la jeune éditrice, qui paraissait impressionnée d'être au centre de l'attention de l'assemblée ; tout le monde l'observait. Pour la première fois, on aurait dit qu'elle perdait son assurance. Cela la rendait humaine et touchante. Son patron lui demanda de prononcer quelques mots. Alors qu'elle avait dû préparer son discours, ses paroles trébuchèrent légèrement. Tout le monde la regardait, et ses proches aussi. Ses parents étaient là, et Frédéric bien sûr qui arborait un grand sourire. Ne manquait à cette célébration littéraire qu'un représentant de la famille de l'auteur. Joséphine, censée jouer ce rôle, n'était pas venue. On avait tenté en vain de la joindre.

Depuis son poste reculé, et malgré une vision quelque peu brouillée, Maroutou observa tout cela. Il trouva que Delphine ressemblait à une adolescente perdue dans l'immense costume d'une femme. Il se leva subitement, et marcha vers elle d'un pas nerveux. Il n'entendit pas Rouche lui demander où il allait. Quelques regards se tournèrent vers cet homme qui fendait l'auditoire d'une manière ostentatoire ; cet homme qui s'empara brusquement du micro de Delphine, afin de prononcer les mots suivants : « Bon, ça suffit maintenant ! Tout le monde sait que ce n'est pas Pick qui a écrit ce livre ! »

HUITIÈME PARTIE

1

Le coup d'éclat fut repris dans la presse le lendemain, alimentant aussi les réseaux sociaux. Les amateurs de complot en tout genre s'excitèrent. Il y a une si grande tentation à ne pas croire aux versions officielles. Le patron des éditions Grasset jugea qu'une petite polémique ne serait pas de trop pour pousser encore le livre sur la route du succès, tout en refusant catégoriquement l'hypothèse selon laquelle *Les Dernières Heures d'une histoire d'amour* aurait pu être écrit par un autre auteur. Le romancier Frédéric Beigbeder sauta sur l'occasion pour écrire une chronique : « Pick, c'est moi ! » Après tout, le roman avait été publié chez son éditeur. Et, en parfait expert de la Russie (il y avait placé l'intrigue d'un de ses romans), il devait bien connaître Pouchkine. En quelque sorte, c'était plausible. Les journalistes lui coururent après pendant quelques jours, et il en profita pour annoncer à tout-va la publication prochaine de son nouveau roman. Question marketing, c'était immense. Ainsi, plus personne ne pouvait en ignorer l'existence, ni même le titre : *L'amitié (aussi) dure trois ans*.

Bien sûr, il n'avait pas écrit le livre de Pick. Et rien ne prouvait ce que Maroutou avait annoncé avec véhémence en plein cocktail. On disait que, totalement ivre ce soir-là, il avait été influencé par le journaliste Jean-Michel Rouche. La frénésie se déplaça alors sur ce dernier. Le bruit courut qu'il connaissait la vérité sur cette affaire. Rouche refusa toutes les sollicitations lui intimant de s'expliquer sur les raisons de sa conviction. Quelle ironie que d'être le centre de l'attraction générale après avoir été le plus grand pestiféré de Paris. Ceux qui ne le prenaient plus au téléphone avaient comme par enchantement retrouvé le désir de le voir. Mais le plaisir des premiers instants se transforma assez vite en dégoût pour cette mascarade. Il prit la décision de ne rien dire. Il était en possession d'une lettre de Pick, probablement la seule que cet homme ait jamais écrite ; il n'allait pas en faire cadeau, comme ça, à la petite meute.

Ce n'était pas seulement une question de vengeance : armé de sa certitude, il ne voulait rien dévoiler avant de pouvoir tout révéler. C'était son affaire, et il devait désormais être discret s'il voulait avoir une chance de la mener à son terme. La sortie de Maroutou lui avait nettement compliqué les choses. Il commençait à avoir une idée de l'auteur qui pouvait se cacher derrière Pick ; mais il n'en parlerait plus à personne ; pas même à un autre alcoolique sur le point de mourir. La seule à qui il aurait pu tout dire, c'était Brigitte. Mais elle n'était plus là pour l'écouter. Depuis leur séparation, elle ne répondait plus à ses appels. Sur sa boîte vocale, il avait laissé tout type de messages, sur tous les tons, de l'humour au désespoir, mais rien à faire. Quand il déambulait dans la rue, il se focalisait sur les Volvo. Après Pick, c'était sa seconde obsession. Dès qu'il en voyait une, il vérifiait aussitôt l'état de la carrosserie. Pas une seule n'était éraflée. Il en conclut que tout le monde était aimé sauf lui.

2

Cette fois-ci, Rouche prit le train. Il avait toujours aimé ce moyen de transport propice à la lecture. Pourquoi ne l'avait-il pas choisi la dernière fois ? On peut se perdre dans ses pensées sans risquer d'abîmer l'engin. Ce serait l'occasion pour lui d'avancer dans l'intrigue du roman de Bolaño. C'était une expérience si particulière. Grand connaisseur de la littérature allemande, Rouche était fasciné par la narration fiévreuse de *2666*, et l'entremêlement de plusieurs livres au sein d'un projet gigantesque. Les histoires se perdaient dans des labyrinthes narratifs. Dans sa tête, il créa alors deux équipes : celle de García Márquez, Borges, Bolaño face à celle de Kafka, Mann, Musil. Au milieu d'eux, un homme qui avait oscillé entre les deux mondes, celui qu'il considérait comme l'arbitre : Gombrowicz. Le journaliste se laissa bercer par ce combat littéraire, recomposant l'histoire d'un siècle par des virgules.

Soudain, tout lui sembla logique : il allait vers une bibliothèque.

Pourquoi n'avait-il pas écrit de roman ? À vrai dire, il avait essayé à plusieurs reprises. Des pages et des pages de tentatives stériles. Et puis, il s'était mis à juger les autres, souvent sévèrement. Alors cela avait rendu impossible l'idée de publier un roman, fût-il aussi médiocre que ceux qu'il lisait. En feuilletant certains ouvrages, il continuait à se dire : pourquoi pas moi ? Au bout de ce long chemin, mélange d'envie et de frustration, Rouche avait définitivement abandonné. Admettre qu'il ne possédait pas la capacité d'écrire fut presque un soulagement. Il avait vécu dans cette atmosphère pesante de l'inabouti, avec ce sentiment de ne pas être tout à fait accompli. C'était peut-être aussi pour cela que la bibliothèque des livres refusés lui parlait tant. Il comprenait parfaitement l'acte de renoncer.

3

À Crozon, ce jour-là, il pleuvait démesurément. On ne voyait rien, si bien qu'on aurait pu être partout ailleurs.

4

N'ayant pas les moyens de prendre un taxi, Rouche dut attendre à la gare que la pluie s'arrête. Assis tout près de la sandwicherie, il fut l'objet de quelques regards. Certains passants le prirent pour un mendiant, sans qu'il s'en doute. C'était surtout à cause de son imperméable, totalement élimé par endroits. Rouche s'était toujours senti bien dans ce manteau qui lui donnait l'allure d'un roman inachevé. Il aurait pu en changer, Brigitte lui avait plusieurs fois proposé d'aller faire du shopping[1]. Elle lui disait que c'étaient les soldes, mais rien à faire, il préférait vivre et mourir avec cette matière agonisante sur le dos.

Brigitte l'avait quitté maintenant, mais il portait toujours le même manteau. Cette pensée lui parut

1. Sûrement l'activité qu'il détestait le plus au monde, avec la pratique de n'importe quel sport ; il pouvait devenir fou à l'idée d'entrer dans un Zara ou un H&M, surtout à cause de la musique.

incongrue. Combien de femmes avait-il connues depuis qu'il possédait cet imperméable ? Il se souvenait de chaque moment, et pouvait recomposer la vie sentimentale de ses dernières années par le prisme d'un tissu. Il pouvait revoir les moments avec Justine, quand il l'accrochait au portemanteau d'une brasserie chic à Paris ; le voyage en Irlande avec Isabelle où il fut protégé à merveille du vent ; et finalement les disputes à son propos avec Brigitte. Pendant qu'il était plongé dans la mémoire de ce qu'il avait partagé avec son imperméable, le temps avait passé, et à Crozon la pluie s'était arrêtée.

5

La bibliothèque était accessible à pied. En marchant, Rouche pensa à l'histoire qui l'avait mené jusqu'ici. Il s'était documenté sur l'origine de cet étrange projet des manuscrits refusés. Il avait récolté quelques informations sur Jean-Pierre Gourvec. Et il avait lu *L'Avortement* de Richard Brautigan. D'une manière générale, Rouche appréciait peu la littérature américaine. À part Philip Roth, le seul qui trouvait grâce à ses yeux. À l'époque de sa chronique hebdomadaire, il avait dézingué Bret Easton Ellis, le jugeant comme « l'écrivain le plus surfait du siècle ». Quelle idiotie, se repentait-il maintenant, d'écrire de telles inepties, de faire le malin avec des phrases grandiloquentes et définitives. Il ne reniait pas son opinion, mais la façon dont il l'avait exprimée. Il lui arrivait d'avoir envie de réécrire ses articles. C'était donc ça, Rouche, un homme très en retard sur la meilleure version de lui-même. Il en allait de même pour ses relations humaines ; il conservait en lui un monologue pour Brigitte qu'il n'avait pas pu déclamer à temps. Mais, en marchant vers la bibliothèque, il éprouvait enfin le sentiment d'investir le présent. Il était exactement là où il devait être.

Sa certitude fut néanmoins mise à mal. Il y avait toujours un décalage entre l'excitation qu'il ressentait et la réalité. Autrement dit : la bibliothèque était fermée. Un mot sur la porte annonçait :

Je reviens dans quelques jours.
Merci de votre compréhension.

MAGALI CROZE
Responsable de la bibliothèque
municipale de Crozon

C'était exactement comme avec Joséphine. Depuis le début de son enquête, à chaque fois qu'il voulait rencontrer une femme, elle disparaissait avant même son arrivée. Fallait-il y voir un signe ? En était-il responsable ? Elles se passaient peut-être le mot pour n'avoir pas à le croiser. Ajouté à la rupture voulue par Brigitte, cela faisait beaucoup pour un seul homme. Que faire ? Il devait absolument la rencontrer. Elle pourrait lui dire avec précision comment le prétendu roman de Pick avait été découvert. Et puis, il avait très envie d'en savoir plus sur la personnalité de Jean-Pierre Gourvec. Rouche était persuadé qu'il fallait fouiller dans le passé de cet homme.

6

Pour le moment, il devait essayer de décrypter ce que signifiaient « quelques jours ». C'était un autre point commun avec le « quelque temps » de Joséphine. Cela n'avait pas le mérite d'être très précis. Il entra dans les boutiques aux alentours, de la poissonnerie à la papeterie, pour tenter d'obtenir des informations concernant le retour de Magali. Personne ne savait rien. Elle était partie comme ça, en laissant un mot énigmatique. On lui confirma que c'était une femme très professionnelle, qui travaillait avec cœur pour faire vivre la bibliothèque. À les écouter, ce n'était pas du tout son genre de partir ainsi.

Dans un pressing, Rouche tomba sur une grande femme longue et maigre comme une sculpture de Giacometti qui lui suggéra :

« Vous devriez peut-être aller demander à la mairie ?

— Vous pensez qu'ils savent quand elle va revenir ?

— La bibliothèque est municipale, donc le maire est son patron. Elle a sûrement dû l'informer. D'ailleurs moi aussi, ça m'intéresse. Elle m'a laissé un tailleur rose, et je voudrais bien savoir quand elle sera là pour le récupérer. Si jamais vous la voyez, dites-le-lui.

— Très bien, je n'y manquerai pas… »

Rouche repartit chargé de ce message pour Magali, mais il était peu probable que ce soit la première chose qu'il lui dise si jamais il parvenait à la retrouver. Il était tombé bien bas professionnellement, mais de là à devenir messager de pressing… Un tailleur rose, en plus.

7

À la mairie, une secrétaire d'une cinquantaine d'années lui expliqua que Magali était partie sans donner de date de retour.

« Vous ne trouvez pas ça inquiétant ?

— Non, elle avait beaucoup de vacances en retard. Vous savez, ici, tout le monde se connaît.

— Qu'est-ce que ça veut dire ?

— Qu'on travaille les uns les autres en confiance. Cela ne me choque pas qu'elle soit partie sans prévenir le maire. Elle fait un travail formidable, alors elle a le droit de souffler.

— Mais elle était déjà partie, comme ça ? Sans prévenir.

— Non, pas que je me souvienne.

— Si je peux me permettre, vous travaillez ici depuis longtemps ? demanda Rouche.

— Depuis toujours. J'y ai fait un stage à dix-huit ans, et me voilà encore ici. Je ne vais pas vous donner mon âge, mais bon, ça fait un moment.

— Est-ce que je peux vous poser une autre question ?

— Oui.

— Avez-vous connu Henri Pick ?

— Vaguement. Je connais surtout sa femme. On a voulu faire une petite cérémonie pour elle à la mairie, mais elle a refusé.

— Une cérémonie pour quoi ?

— Pour l'histoire de son mari. Son roman. Vous n'avez pas entendu parler de ça ?

— Si, bien sûr. Et vous en pensez quoi, vous ?

— De quoi ?

— De cette histoire ? Du roman écrit par Henri Pick ?

— J'en pense que ça fait une publicité extraordinaire. Il y a beaucoup de curieux qui viennent ici. Et c'est bon pour le commerce. C'est bien simple, on aurait pris une agence de communication pour faire parler de la ville, on n'aurait pas pu faire mieux. Et pour la bibliothèque, on va s'arranger. J'ai une stagiaire ici qui pourra faire la permanence. Faut pas décevoir tous ces nouveaux visiteurs. »

Rouche s'arrêta un instant pour dévisager cette femme. Elle avait une telle énergie. Chacune de ses réponses avait surgi de sa bouche telle la charge d'une catapulte à mots. On la sentait prête à répondre à toutes sortes de questions pendant des heures avec la même vivacité. Elle venait de soulever un point majeur. Rouche admit qu'on n'avait sûrement jamais autant parlé de Crozon. Peut-être que toute cette histoire de manuscrit retrouvé avait été fomentée par un génie breton de la communication. Subitement, il lui demanda :

« Et Jean-Pierre Gourvec, vous l'avez connu ?

— Pourquoi vous me demandez ça ? répondit la secrétaire sèchement, dans une rupture totale avec le premier mouvement de leur échange.

— Comme ça. Juste pour savoir. C'est tout de même lui qui a importé ici l'idée de la bibliothèque des livres refusés.

— Ça oui, des idées, il en avait. Mais après…

— Que voulez-vous dire ?

— Rien. Bon, si ça ne vous dérange pas, je dois reprendre mon travail.

— Très bien », répondit Rouche, sans insister ; il y avait apparemment un malaise entre cette femme et Gourvec. Elle était devenue toute rouge à l'énoncé du nom du bibliothécaire. Après le rose du tailleur de Magali, son enquête prenait la forme d'une variation de couleurs au sein d'une même gamme. Il la remercia chaleureusement pour son aide précieuse, et s'éclipsa.

Son enquête n'allait pas beaucoup avancer aujourd'hui. Il devait s'y résoudre. Que pouvait-il décider ? Aller boire des bières quelque part ;

c'était une idée certes, mais pas la plus constructive. Il songea alors qu'il avait mieux à faire : aller directement rendre visite à Henri Pick, au cimetière.

8

C'est vrai que Magali n'était pas du genre à partir comme ça, sans prévenir ; de manière générale, elle n'était pas du genre à faire quoi que ce soit de non prémédité ; son existence était une succession de planifications.

En roulant cette nuit-là, quelques jours plus tôt, elle avait dû s'arrêter plusieurs fois. S'arrêter pour être bien certaine d'avoir vécu ce qui venait de se passer. Ses idées n'étaient pas claires (on pourrait même parler de confusion totale), mais il lui suffisait de respirer pour être envahie d'une odeur étrangère. Celle de Jérémie. La réalité sur sa peau était tenace ; la preuve physique qu'elle n'avait pas rêvé. Un jeune homme l'avait désirée d'une façon simple et brutale, et elle se demandait ce qu'elle faisait à rouler dans cette direction, laissant la beauté derrière elle. Plusieurs fois, elle avait voulu faire demi-tour, même si c'était interdit sur cette portion de route marquée par une ligne blanche. Et alors ? Ce n'était pas une ligne qui pourrait l'empêcher d'agir. Pourtant, elle avait continué à rouler vers chez elle, et le trajet lui avait paru aussi long et sinueux que ses tergiversations.

Son mari l'avait appelée plusieurs fois, inquiet de ne pas la voir revenir. Elle avait prétexté un inventaire ; il n'avait même pas pensé qu'elle faisait toujours ses inventaires en journée, quand la bibliothèque était fermée. N'importe quelle personne s'intéressant un tant soit peu à elle aurait deviné qu'elle ne disait pas la vérité. Mais pourquoi lui aurait-elle menti ? Personne ne ment à Crozon. Il n'y a pas de raison. Alors, il s'était inquiété, car son absence ce soir-là sortait de l'ordinaire, mais voilà, rien de plus.

En entrant chez elle, Magali s'était préparée à s'expliquer. Peut-être remarquerait-il ses cheveux défaits, son allure froissée, les ricochets de son bonheur physique ? Oui, il allait tout comprendre, José. Car ça se voyait, ça sautait à la figure, et elle n'avait aucune capacité à masquer le vrai. Mais tout paraissait différent ce soir-là ; elle avait été surprise par l'attitude quasi anxieuse de son mari. Magali avait toujours pensé qu'elle pouvait disparaître au moins deux trois jours avant qu'il ne se rende compte de son absence. Il leur arrivait de passer des soirées tous les deux sans prononcer une parole, et d'autres uniquement encombrées par quelques détails d'ordre pratique ; savoir, par exemple, qui irait faire les courses le lendemain. Il fallait admettre qu'elle avait tort ; il avait appelé pour savoir ce qu'elle faisait. Que voulait-elle au juste ? Elle aurait peut-être préféré son indifférence, qu'il n'encombre pas de ses appels le plaisir qu'elle vivait.

Elle y pensait sans cesse, à ce plaisir. Un vertige. Jérémie lui avait demandé de venir le réveiller le lendemain matin « avec sa bouche », elle était hantée par cette phrase, mais une grande partie d'elle pensait : il ne sera pas là demain. Il a dit ça, mais la vérité est tout autre : il sera parti. Il sera retourné chez lui, ou alors il sera en train de baiser une autre dans mon genre ; ça ne devait pas être difficile à trouver, il y en avait partout des femmes comme elle, des femmes n'en pouvant plus qu'on ne les touche plus, des femmes se trouvant grosses et hideuses, voilà il devait laisser partout derrière lui des souvenirs impérissables, c'était sa postérité à lui, puisqu'il n'arrivait pas à se faire publier. Oui, c'était sûr, il ne serait plus là. Elle sourit d'avoir pu imaginer un instant le contraire.

Une fois chez elle, elle traversa le salon sans faire de bruit. Magali eut la surprise de constater que tout était éteint. Ce n'était en rien le décor d'un homme inquiet. Elle s'approcha doucement de leur chambre, où elle découvrit son mari, bouche ouverte, plongé dans un sommeil d'une profondeur abyssale.

9

Magali resta éveillée une grande partie de la nuit. Et repartit tôt le lendemain, après avoir passé une heure dans la salle de bains. Elle n'avait pas eu à s'expliquer, son mari avait dormi tout le temps de sa présence dans la maison. De toute façon, il serait heureux à son réveil, puisque le café était chaud et la table préparée pour le petit déjeuner.

Elle ouvrit la porte de la bibliothèque au petit matin, tout était tellement calme, comme si les livres eux aussi dormaient, et traversa les rayonnages pour rejoindre son bureau. Son cœur battait d'une manière nouvelle, sur un rythme inédit. Elle aurait pu marcher vite, se précipiter vers ce qu'elle allait découvrir, mais elle aimait ce temps d'attente ; pendant quelques mètres, quelques secondes, tout était encore possible. Jérémie pourrait être là, en train de dormir, en train d'attendre d'être réveillé par sa bouche. Elle ouvrit doucement la porte pour découvrir le jeune homme allongé, plongé dans un sommeil à l'allure d'un lac suisse. Elle ferma la porte, pour la rouvrir à nouveau, comme pour être certaine qu'il ne s'agissait pas d'un trouble de sa vision. Elle s'approcha alors pour le regarder de plus près. La veille, elle n'avait pas osé le dévisager, et avait souvent détourné son regard au moment où leurs yeux se croisaient. Maintenant, elle pouvait le contempler, s'arrêter sur chaque détail de son corps, s'étourdir de sa beauté. Il fallait donc le réveiller par la bouche. Voulait-il des baisers ? Elle se mit à l'embrasser tout doucement sur le torse, puis le ventre, et il commença à frémir ; il posa alors sa main sur sa tête, caressant ses cheveux un instant, avant de la diriger un peu plus bas encore.

Plus tard, Magali prépara un café qu'elle apporta à Jérémie. Il s'installa derrière le bureau. Pendant la nuit, il avait dû errer entre les rayons, car il avait rassemblé une petite pile de livres près de lui. Magali repéra entre autres : Kafka, Kerouac, Kundera. Elle put en conclure qu'il s'était arrêté uniquement à la lettre K. Il hésita entre *Les Clochards célestes* ou *Le Procès* avant de finalement se plonger dans *Risibles amours.* Magali l'observa un instant et lui demanda :

« Tu as faim ? Tu veux que j'aille chercher des croissants ?

— Non, merci. J'ai tout ce qu'il faut ici », répondit-il en désignant son livre.

Elle le laissa pour aller ouvrir la bibliothèque aux lecteurs. Ce fut une journée particulièrement calme, ce qui offrit à Magali de nombreuses occasions d'aller voir Jérémie. Parfois, il lui disait de s'approcher, et il passait sa main entre ses cuisses. Elle se laissait faire sans rien dire. Qu'allait-il se passer ? Que voulait-il ? Combien de temps allait-il rester ? Elle aurait voulu simplement profiter de cette folie, mais rien à faire, son esprit était envahi par une avalanche de questions. Jérémie ne semblait plus du tout aussi marginal que la veille, ou torturé ; il avait plutôt l'air aujourd'hui d'un bon vivant, profitant des cadeaux de la vie. À la fin de journée, elle alla acheter une bouteille de vin et de quoi dîner, et ils s'installèrent à même le sol. Ils parlèrent davantage que la veille. Jérémie raconta ses difficultés relationnelles avec ses parents, et notamment sa mère ; il avait été en pension, puis placé dans un foyer, et maintenant cela faisait presque cinq ans qu'il ne les avait vus. « Ils sont peut-être morts », souffla-t-il, avant d'admettre que c'était peu plausible ; on l'aurait au moins prévenu. Cette idée glaça Magali. Quand elle voyait des jeunes faire la manche devant le supermarché, elle se doutait que des difficultés relationnelles au sein de la famille étaient à l'origine de leur errance. Elle pensa à ses fils, se dit qu'elle ne les voyait pas assez. Elle ne leur montrait peut-être pas assez son amour.

Encouragée par Jérémie, Magali se mit à évoquer ses propres parents. Ils étaient morts depuis si longtemps déjà, elle n'en parlait jamais. Personne ne lui posait de questions sur son enfance à elle. Elle fut saisie subitement par une intense émotion. Depuis des années, elle vivait sans se poser la question de savoir ce qui lui manquait ou pas. Elle comprit soudain qu'elle souffrait de ne plus avoir sa mère auprès d'elle. Elle avait pensé que sa disparition était un fait qui faisait partie de ce qu'on appelle *les choses de la vie*. Elle comprenait maintenant que la réalité la plus commune n'excluait pas de ressentir la mort comme un scandale émotionnel dont il serait impossible de se remettre jamais.

Elle mettait des mots sur le gouffre qui l'habitait, et une explication même, sur cette façon qu'elle avait eue d'abandonner son corps. Jérémie sentit son désarroi, et la consola avec quelques gestes.

10

Les jours suivants se déroulèrent dans la même atmosphère. Magali alternait des moments d'euphorie où elle était survoltée par la puissance de ses sentiments, et d'autres où elle était effrayée par ce qui lui arrivait. Elle s'efforçait d'éviter son mari, ce qui n'était pas très compliqué. Ces derniers temps, José était particulièrement épuisé par la cadence des rythmes de travail imposée par l'usine Renault. Il travaillait maintenant à plein temps. Pour conserver les ateliers en France, il fallait redoubler d'énergie, montrer que le savoir-faire ne pouvait pas s'échanger contre de la main-d'œuvre à bas coût. Cette concurrence acharnée avait pour conséquence d'exploiter un peu plus encore les travailleurs, quels qu'ils soient : ceux qui voulaient garder leur emploi, ceux qui espéraient en avoir un. Des deux côtés, on perdait.

José attendait sa préretraite comme une libération. Il pourrait enfin profiter de la vie, c'est-à-dire pêcher et arpenter le littoral. Peut-être même que sa femme viendrait parfois avec lui ; cela faisait longtemps qu'ils n'avaient pas passé du temps ensemble, comme ça, sans but, marcher un peu et tenter de se perdre.

Jérémie dormait toujours dans le bureau ; Magali lui avait simplement apporté une couverture. Il ne semblait pas gêné par le manque de confort. Elle n'osait pas lui demander combien de temps il comptait rester. Un jour, il annonça simplement :

« Je dois retourner chez moi.

— Quand ?

— Demain.

— …

— Il y a un train pour Paris. Je dormirai sûrement une nuit là-bas, et dimanche je partirai pour Lyon. Un ami m'a proposé un travail à mi-temps. Je ne peux pas refuser, tu comprends ?

— Oui. Je comprends.

— J'ai une petite chambre à Lyon, sous les toits. C'est petit, mais franchement ça va. Tu pourrais venir.

— Venir… avec toi ?

— Oui. Qu'est-ce qui t'en empêche ?

— Mais… tout.

— Tu n'as pas envie de rester avec moi ?

— Si, bien sûr. Là n'est pas la question, mais… il y a le travail…

— Tu fermes la bibliothèque. Tu prétextes un congé maladie. Et à Lyon, avec ton expérience, tu retrouveras quelque chose. J'en suis sûr.

— Et mon mari ?

— Tu ne l'aimes plus. Et tes enfants sont grands. On sera heureux là-bas. Il y a quelque chose entre nous. C'était mon destin de venir déposer mon livre ici, pour te rencontrer. Personne n'a jamais été aussi gentil avec moi.

— Mais je n'ai rien fait de spécial.

— Cette semaine a été la plus belle de ma vie, allongé ici, avec des livres, et toi qui venais me retrouver de temps en temps. Et j'aime faire l'amour avec toi. Tu n'aimes pas, toi ?

— Je… oui.

— Alors ? Partons demain.

— Mais… tout arrive si vite.

— Et alors ? Tu vas le regretter si tu ne viens pas. »

Magali dut s'asseoir. Jérémie avait parlé calmement, comme si tout était simple et évident, alors que pour elle il s'agissait de la révolution d'une vie. Elle se mit à penser : il a raison, je quitte tout, je ne dois pas réfléchir, il y a une évidence, je ne peux pas me passer de cet homme, je ne peux pas vivre sans son corps, ses baisers, sa beauté, je ne pourrai jamais poursuivre mon existence en le sachant loin, oui Jérémie a raison, je n'aime plus mon mari, en tout cas je ne questionne plus mes sentiments quand je suis avec lui, c'est une donnée établie, définitive, jusqu'à la mort, ce qu'il me propose c'est d'échapper un peu à cette mort qui m'attend, il m'offre de la vie à moi qui suffoque, je ne respire plus entre les livres, ils m'étouffent, toutes ces histoires partout qui m'empêchent d'en avoir une à moi, toutes ces phrases, tous ces mots depuis des années, les romans me fatiguent, les lecteurs m'épuisent, et les écrivains ratés en plus, je n'en peux plus des livres, je voudrais tant m'échapper de cette prison de rayonnages, calme-toi, Magali calme-toi, tout le monde pense cela sûrement, au bout d'un moment, on a tous du dégoût pour notre vie, notre métier, mais j'ai aimé les livres, j'ai aimé José, et je l'aime sûrement encore si je suis honnête, cela me ferait mal de le laisser là, orphelin de nous, mais on ne partage plus grand-chose, il est devenu une présence, cette présence de toujours, infaillible et insensible, unis que nous sommes par notre passé, nos souvenirs, c'est peut-être ça le plus important, les souvenirs qui prouvent que l'amour a existé, et nous en avons la preuve physique avec nos fils, mes enfants qui s'éloignent, avant j'étais tout pour eux, et maintenant quelques appels rapides, de la tendresse technique, des bonjours qui ressemblent aux bonsoirs, ils réagiraient sûrement à mon départ, l'un dirait que c'est ma vie, l'autre que je suis folle de faire ça à papa, mais leur avis, au fond, je m'en fous, je ne juge pas leurs choix, alors il faut me laisser libre maintenant, libre de tenter d'être heureuse.

11

Encore une fois, Magali dormit très peu. Elle pensa au livre d'Henri Pick. Elle y vit une incroyable résonance avec sa propre histoire. Avec qui vivait-elle ses dernières heures ? Avec Jérémie ou avec José ? Pendant la nuit, elle observa son mari, de cette manière dont on contemple un paysage le dernier jour des vacances. Il faut tout mémoriser. Il dormait profondément, sans se douter du danger affectif qui rôdait. Tout était confus à cet instant, mais Magali savait une chose : elle ne pourrait plus continuer sa vie comme avant.

Le lendemain, elle partit sans le réveiller. C'était un samedi, il ne travaillait pas, il dormirait au moins jusqu'à midi. Dès qu'elle entra dans la bibliothèque, Jérémie lui demanda ce qu'elle avait décidé. Elle pensait avoir encore quelques secondes pour réfléchir, mais non, il fallait sauter dans le vide maintenant :

« J'irai chez moi en début d'après-midi…, commença-t-elle, sans pouvoir poursuivre.

— Oui, et alors ?

— Je prendrai des affaires. Et nous partirons après.

— C'est parfait, dit Jérémie en s'avançant vers elle.

— Attends. Attends. Laisse-moi finir, fit Magali

en lui intimant d'un geste de la main l'ordre de reculer.

— D'accord.

— J'ai vérifié. Le bus pour Quimper est à 15 h. Et après on prendra le train pour Paris, celui de 17 h 12.

— Tu as tout regardé. C'est beau.

— …

— Mais pourquoi on ne part pas avec ta voiture ? Ça serait plus pratique.

— Je ne peux pas faire ça. La voiture de mon mari est en panne depuis des mois. Il faudrait en acheter une autre, mais ça coûte trop cher. Il part à l'usine avec un collègue qui vient le chercher et le ramène. Enfin bref, tu comprends… je ne peux pas le quitter, et en plus prendre la voiture.

— Oui, tu as raison.

— …

— Je peux venir te serrer dans mes bras maintenant ? » demanda alors Jérémie.

12

Pendant toute la matinée, Magali s'efforça de travailler *comme si de rien n'était.* Elle avait toujours aimé cette expression qui tente de masquer l'essentiel ; en l'occurrence, le précipice d'une décision majeure. À plusieurs reprises, elle était passée voir Jérémie qui semblait un peu perdu dans ses pensées[1]. Il devait échafauder des romans qui n'aboutiraient jamais ; tant de vies sont bercées par des illusions. Elle l'observait fugitivement, admettant en son for intérieur que c'était une folie de partir avec lui. Après tout, elle le connaissait à peine. Peu importe, elle vivait simplement un de ces rares moments où l'après ne compte pas ; où seule la puissance du maintenant décide de votre vie. Elle était bien avec lui, et c'était comme ça. Il ne fallait pas tenter de définir ce qui se passait dans son corps ; les mots ne servaient à rien dans ce genre de situation. Elle pouvait toujours ouvrir n'importe lequel des milliers de livres qui l'entouraient, elle n'y trouverait jamais la clé de son comportement.

Vers midi, alors que la bibliothèque s'était vidée, elle dit à Jérémie :

« Je vais fermer. Le mieux est que tu ailles maintenant à la gare routière, et je te rejoins tout à l'heure avec mes affaires.

— Parfait. Je peux prendre quelques livres ? enchaîna-t-il avec légèreté, comme s'il ne se rendait pas compte de l'enjeu que cette fuite représentait dans la vie de Magali.

— Oui, bien sûr. Tu peux. Tu peux prendre tout ce que tu veux.

— Juste deux ou trois romans, je ne veux pas être chargé, si on ne prend pas la voiture. »

1. Il était le genre d'homme qu'on a toujours l'impression de déranger alors qu'il ne fait rien.

Il ramassa ses affaires, prit trois livres, et tous deux quittèrent la bibliothèque. De peur d'être repérés, ils se séparèrent avec une distance étudiée, sans même s'embrasser.

13

Magali se dirigea directement vers sa chambre. Son mari dormait encore, ce qui prouvait son épuisement. Elle s'assit un instant sur le bord du lit, et on aurait pu croire qu'elle allait le réveiller ; on aurait pu croire qu'elle allait tout lui raconter. Elle aurait pu lui dire : j'ai rencontré un autre homme, et je ne peux pas faire autrement, je dois te quitter car je vais mourir si je le laisse partir et qu'il ne me touche plus. Mais elle ne dit rien, et continua de l'observer, sans faire le moindre bruit pour ne pas gêner son sommeil.

Elle examina leur chambre. Elle en connaissait chaque recoin par cœur. Pas la moindre surprise, nulle part, et même la progression de la poussière ne prenait jamais la moindre liberté avec son rythme précis. C'était le cadre millimétré de sa vie, et elle fut presque surprise de s'y sentir rassurée. Si les derniers jours avaient été divins en termes de plaisir, ils avaient surtout été épuisants. Elle avait vécu chaque minute de sa brève passion, une boule au ventre, fragilisée par la crainte éprouvante d'être jugée. C'était peut-être calme avec José, mais elle commençait à admettre que ce calme pouvait procurer une forme de plaisir lui aussi. Il y avait une beauté à ce confort-là. Ce qui avait paru médiocre se révélait à présent sous un autre jour, et sa vie même endossait un nouveau vêtement. Elle comprit que ce qu'elle avait rejeté depuis une semaine allait lui manquer. Oui, le manque s'infiltrait en elle, au dernier moment, presque par ironie. Des larmes coulèrent alors le long de ses joues. Elle libérait tout ce qu'elle retenait depuis qu'elle s'était retrouvée dans la folie du tourbillon émotionnel.

Elle se leva enfin, pour prendre un sac et y jeter quelques affaires. En ouvrant un tiroir, elle réveilla son mari :

« Qu'est-ce que tu fais ?

— Rien. Je range un peu, c'est tout.

— On ne dirait pas. Tu fais un sac.

— Un sac ?

— Oui, tu remplis un sac. Tu pars quelque part ?

— Non.

— Alors qu'est-ce que tu fais ?

— Je ne sais pas.

— Tu ne sais pas ?

— …

— On dirait que tu pleures. Tu es sûre que ça va ? »

Magali demeura sans bouger, tétanisée. Elle ne savait même plus comment respirer. José la regardait sans comprendre. Pouvait-il seulement imaginer que sa femme était attendue à la gare routière par un homme de l'âge de leurs fils? Habituellement, il était insensible aux sautes d'humeur de Magali. Quand il ne la comprenait pas, il se disait que *c'était un truc de bonne femme*. Mais cette fois, il se redressa dans son lit. Il avait senti quelque chose de différent, peut-être même de grave.

« Dis-moi ce que tu fais.

— …

— Tu peux me le dire.

— Je prépare un sac, car je veux qu'on parte maintenant. Tout de suite. Ne discute pas s'il te plaît.

— Mais où ça?

— On s'en fout. On prend la voiture et on part. Quelques jours, tous les deux. Ça fait des années qu'on n'est pas partis en vacances.

— Mais je ne peux pas partir comme ça, à cause du travail.

— On s'en fout, je te dis. On te fera faire un certificat médical. Tu n'as pas pris un congé maladie en trente ans. Je t'en prie, ne réfléchis pas.

— C'était pour ça le sac?

— Oui, je préparais nos affaires.

— Et la bibliothèque?

— J'irai mettre un mot. Allez habille-toi, on part.

— Mais je n'ai pas pris de café.

— S'il te plaît. On part tout de suite, même sans rien. On part. Vite. Vite. Vite. On prendra un café sur l'autoroute.

— … »

14

Quelques minutes plus tard, ils étaient dans la voiture. José n'avait jamais vu sa femme comme ça, et il avait compris qu'il fallait tout accepter. Après tout, elle avait raison. Il n'en pouvait plus. Il était en train de mourir au travail. C'était le moment de partir, de tout quitter, de respirer un peu, juste pour survivre. En route, elle s'arrêta à la bibliothèque pour laisser un mot expliquant son absence de quelques jours. Elle roula vite, sans bien savoir où elle allait, grisée par cette incertitude. Enfin, elle agissait sans rien préméditer. José ouvrit la fenêtre pour se laisser fouetter le visage par le vent car il n'était pas bien sûr de ne pas dormir encore, tant ce qu'il vivait à présent ressemblait à un rêve.

15

Sans le savoir, Rouche avait croisé Jérémie à la gare routière, ce jour-là. Il avait constaté ensuite la fermeture de la bibliothèque, tenté d'interroger quelques personnes dans le coin, avant de questionner une femme à la mairie. L'ensemble avait abouti à une impasse, ce qu'on pouvait considérer comme le refrain ordinaire de son enquête. Il ratait toujours d'abord ce qu'il réussissait ensuite. Jusqu'ici, c'était même la succession des échecs qui le conduisait en définitive à la bonne piste.

Il commençait à comprendre pourquoi sa vie l'avait confronté à d'importantes désillusions ; il avait eu la prétention de la mener comme il l'entendait, et s'était dirigé vers les sphères littéraires armé de réflexions stratégiques pour parvenir à la réussite. Il découvrait maintenant qu'il fallait aussi se laisser porter par l'intuition. Ainsi, il avait ressenti le besoin d'aller sur la tombe d'Henri Pick. À partir de là, il pourrait remonter le fil jusqu'aux éléments du passé qui lui permettraient de découvrir la vérité.

Le journaliste fut surpris par l'étendue du cimetière de Crozon ; des centaines de tombes de chaque côté d'une allée centrale qui débouchait sur un monument dédié aux victimes des deux guerres mondiales. À l'entrée, il y avait une petite maison d'un rose délavé, où vivait le gardien. Ce dernier, apercevant Rouche, sortit de sa tanière :

« C'est pour Pick ?

— Oui, répondit-il, un peu surpris.

— Vous le trouverez à la place M64.

— Ah merci… Bonne journée. »

L'homme retourna alors dans sa maison, sans rien ajouter. C'était un minimaliste de l'information. Il sortait, précisait M64, et repartait. « M64 » répéta plusieurs fois Rouche dans sa tête, avant de penser : même les morts ont une adresse.

Il marcha lentement au milieu des tombes, sans chercher à repérer les numéros, préférant déchiffrer chaque nom jusqu'à lire celui d'Henri Pick. Instinctivement, il se mit à calculer le nombre d'années vécues par chaque mort. Laurent Joncour (1939-2005) était parti tôt, à soixante-six ans. Un exemple parmi d'autres, et le journaliste ne put s'empêcher de penser que tous, comme lui, avaient vécu des péripéties ordinaires ; chaque cadavre avait un jour ou l'autre fait l'amour pour la première fois, s'était disputé avec un ami pour une raison devenue dérisoire maintenant, et peut-être même que certains avaient aussi éraflé des voitures. Il était ici un survivant de la communauté humaine, dont il repéra, à quelques mètres, un autre échantillon vivant. C'était une femme d'une cinquantaine d'années, qui lui parut aussitôt familière. Il s'approcha, tout en continuant à décrypter les noms sur les tombes, mais il était quasiment certain que cette femme se recueillait devant la tombe de Pick.

16

Arrivé à sa hauteur, Rouche reconnut Joséphine. Il l'avait attendue devant sa boutique, pour finalement la rencontrer ici. Il jeta un œil à la tombe, y découvrit un amoncellement de fleurs et même quelques lettres. Cette vision lui fit prendre la mesure du phénomène qui s'était créé autour du romancier. Sa fille demeurait immobile devant la sépulture, plongée dans un silence hypnotique. Elle ne remarqua pas l'arrivée du nouveau visiteur. Contrairement aux photos qu'il avait pu voir d'elle dans la presse, une allure souriante confinant parfois au ridicule, il la trouva grave. Bien sûr, elle était face à la tombe de son père, mais Rouche sentit que l'origine de sa tristesse n'était pas là ; au contraire, elle venait chercher ici un réconfort qu'elle ne trouvait plus à l'extérieur des murs du cimetière.

« Votre père vous a écrit une très belle lettre, dit-il dans un soupir.

— Pardon ? demanda Joséphine, surprise par la présence d'un homme qu'elle découvrait seulement.

— La lettre que vous avez retrouvée, elle est très touchante.

— Mais… comment vous savez ça ? Qui êtes-vous ?

— Jean-Michel Rouche. Je suis journaliste. Ne vous inquiétez pas. J'ai voulu vous rencontrer à Rennes, mais vous aviez disparu. Mathilde m'a parlé de cette lettre. J'ai réussi à la persuader de me la montrer.

— Mais qu'est-ce que ça peut vous faire ?

— Je voulais voir une trace écrite… de votre père.

— Bon, laissez-moi tranquille. Vous ne voyez pas que je suis en train de me recueillir ?

— … »

Rouche recula d'un mètre, et s'arrêta comme figé. Il se sentait idiot de n'avoir pas anticipé une telle réaction. Quel manque de délicatesse. Cette femme était devant la tombe de son père, et il lui parlait comme ça, d'un coup, de la lettre. De cette lettre si personnelle qu'il avait récupérée contre sa volonté. Qu'aurait-il pu espérer d'autre comme réponse ? Si son enquête le rendait heureux, il était hors de question pour lui de blesser quiconque. Sentant qu'il était toujours derrière elle, Joséphine tourna la tête. Elle aurait pu s'énerver à nouveau, mais quelque chose la désarçonna. Avec son imperméable élimé et trempé, cet homme avait plutôt l'air d'un paumé inoffensif. Elle lui demanda :

« Qu'est-ce que vous voulez exactement ?

— Je ne sais pas si c'est le bon moment…

— Ne tournez pas autour du pot. Dites ce que vous avez à dire.

— J'ai l'intuition que ce n'est pas votre père qui a écrit ce roman.

— Ah bon ? Et pourquoi ?

— Une intuition. Quelque chose qui ne colle pas.

— Et alors ?

— Je voulais une preuve. Une trace écrite…

— C'est pour ça que vous vouliez la lettre ?

— Oui.

— Vous l'avez eue. Et en quoi ça vous aide ?

— Vous le savez très bien.

— Que voulez-vous dire ?

— Vous ne pouvez pas vous mentir. Il suffit de lire deux lignes pour se rendre compte que votre père n'aurait jamais pu écrire un roman.

— …

— La lettre est touchante, mais il a si peu de vocabulaire, c'est très naïf, il y a des fautes partout… Enfin, vous n'êtes pas d'accord ?

— …

— On sent qu'il a fait un effort surhumain pour vous écrire ces mots, car tous les enfants reçoivent des lettres de leurs parents, quand ils sont en colonie.

— Une lettre écrite rapidement à une enfant et un roman, ce n'est pas pareil.

— Soyez honnête. Vous le savez aussi bien que moi, que votre père n'a pas pu écrire un roman.

— Je ne sais pas. Et puis, comment en être sûr ? On ne peut plus le lui demander. »

Ils regardèrent tous deux la tombe d'Henri Pick, mais rien ne se passa.

17

Une heure plus tard, Rouche était dans le salon de Madeleine, une tasse de thé au caramel devant lui. Joséphine vivait ici en ce moment, devina-t-il, depuis le traumatisme de la trahison de Marc. Elle tentait de trouver un peu de sérénité, de se recomposer. Elle ne sortait que pour aller au cimetière. Pourtant, elle en voulait à son père. Son roman posthume avait finalement semé le mal. Madeleine disait que l'attitude inqualifiable de son ex-gendre devrait justement lui permettre de tourner définitivement la page. Elle n'avait pas tort. La brutalité des jours récents mettait fin à des années de chagrin ; c'était aussi ce deuil-là qu'elle vivait ici, la fin de l'espoir de retrouver son passé.

Marc lui avait laissé de nombreux messages pour s'excuser, tenter de s'expliquer. Surendetté, il avait été poussé par sa nouvelle femme. Il ne savait pas pourquoi il avait pu agir avec aussi peu de scrupules. Depuis, il avait réellement rompu, et évoquait leurs retrouvailles ; si ses motivations initiales avaient été malsaines, il avait éprouvé un intense bonheur à être à nouveau près d'elle. Il savait qu'il avait tout gâché, mais il ne pourrait pas oublier l'évidence de leur renaissance. Il comprenait tout, maintenant. Et c'était trop tard. Joséphine ne le verrait plus jamais.

Pour le moment, elle était assise dans un coin du salon, à l'écart, laissant Rouche et sa mère évoquer la situation. Madeleine relut la copie de la lettre plusieurs fois, avant d'énoncer :

« Qu'est-ce que vous voulez que je vous dise ?

— Ce que vous voulez.

— Mon mari a écrit un roman. Voilà, c'est comme ça. C'était son secret.

— Mais la lettre…

— Quoi ?

— Il est évident qu'il est incapable d'écrire. Vous n'êtes pas d'accord ?

— Oh, je suis fatiguée par toute cette histoire. Tout le monde devient fou avec ce livre. Regardez l'état de ma fille ! Ça devient n'importe quoi. Je vais appeler l'éditrice. »

Surpris, Rouche vit Madeleine se lever pour attraper le combiné de son téléphone fixe. Elle ouvrit un vieux calepin noir écorné, et composa le numéro de Delphine.

Il était pratiquement vingt heures ; elle était à table avec Frédéric. Madeleine alla directement à l'essentiel :

« Un journaliste est chez moi, il me dit qu'Henri n'a pas écrit le livre. On a retrouvé une lettre.

— Une lettre ?

— Oui. Plutôt mal écrite… Il y a vraiment de quoi douter en la lisant.

— Une lettre et un roman, ce n'est pas pareil, balbutia la jeune femme. Et qui est ce journaliste ? C'est Rouche ?

— Peu importe. Dites-moi plutôt la vérité.

— Mais… la vérité, c'est qu'il y avait le nom de votre mari sur le manuscrit. D'ailleurs le contrat est à votre nom. C'est vous qui touchez les droits d'auteur. Ça prouve bien que j'ai toujours pensé qu'il en était l'auteur. »

Delphine avait enclenché le haut-parleur, si bien que Frédéric entendait la conversation. Il chuchota : « Dis-lui de demander au journaliste qui est l'auteur selon lui. » La vieille dame répéta la question, et Rouche répondit : « J'ai une idée. Mais je ne peux rien dire pour le moment. En tout cas, il faut arrêter de faire croire que l'auteur est Henri Pick. » Delphine essaya de calmer le jeu en affirmant à Madeleine que, jusqu'à preuve du contraire, l'auteur du roman était bien son mari. Et ce journaliste devait étayer ses dires plutôt que d'exhumer de vieilles lettres envoyées à une enfant. Elle ajouta : « Si on retrouvait une liste de courses de Proust, peut-être qu'on estimerait impossible que ce même homme ait écrit les sept tomes d'*À la recherche du temps perdu* » ! Sur ce raisonnement elle souhaita une bonne soirée à Madeleine et raccrocha.

Frédéric fit mine d'applaudir, en disant :
« Bravo, très bel argument. La liste de courses de Proust…
— Ça m'est venu comme ça.
— En tout cas, c'était sûr que ça allait arriver un jour. Tu le savais très bien.
— Ils doutent, c'est normal. Mais cette lettre ne peut pas être un élément qui prouve que Pick n'a pas écrit son livre. Ils n'ont aucune preuve concrète.
— Pour le moment… », ajouta Frédéric avec un sourire qui agaça au plus haut point Delphine.

Habituellement si pondérée, elle sortit de ses gonds :

« Ça veut dire quoi ? C'est ma réputation qui est en jeu ! Le livre est un succès et tout le monde encense mon flair, alors c'est tout. Ça s'arrête là.

— Ça s'arrête là ?

— Oui ! L'histoire est merveilleuse comme ça ! » dit-elle en se levant. Frédéric tenta de lui attraper le bras, elle le repoussa. Elle se précipita vers la porte et quitta l'appartement.

L'appel de Madeleine avait réveillé entre eux une tension. Ils n'étaient pas d'accord, mais avant ils pouvaient au moins parler ; pourquoi avait-elle réagi si brutalement ? Il courut à sa suite. Dans la rue, il la chercha du regard ; il fut surpris de la distinguer déjà assez loin. Pourtant, il lui avait semblé qu'il n'était pas resté assis plus de trois ou quatre secondes avant de se résoudre à la rejoindre. De plus en plus, il avait une perception du temps déformée, conséquence d'un décalage entre les mouvements de son esprit et la durée réelle du présent. Il lui arrivait de rêver d'une phrase pendant un long moment, et n'en revenait pas de constater que deux heures avaient passé pendant cette phase de création. Il perdait contact avec le quotidien, et c'était une sensation de plus en plus forte à mesure qu'il approchait de la fin de son roman. C'était si long et si dur que les derniers chapitres étaient écrits avec un cerveau vaporeux. *L'homme qui dit la vérité* arrivait bientôt à terme.

Il se mit à courir vers Delphine. En pleine rue, devant de nombreux témoins, il lui saisit le bras.

« Lâche-moi, cria-t-elle.

— Non, tu rentres. C'est n'importe quoi. On peut parler, sans que ça dégénère.

— Je sais ce que tu vas dire, et je ne suis pas d'accord.

— Je ne t'ai jamais vue comme ça. Qu'est-ce qui se passe ?

— …

— Delphine ? Réponds-moi.

— …

— Tu as rencontré quelqu'un d'autre ?

— Non.

— Alors quoi ?

— Je suis enceinte. »

NEUVIÈME PARTIE

1

Après avoir raccroché avec Delphine, Madeleine montra son contrat à Rouche. Effectivement, elle touchait 10% de droits d'auteur, ce qui ferait une somme conséquente. L'éditeur pensait donc que Pick était l'auteur du roman. En continuant la discussion, Madeleine et Joséphine admirent qu'elles s'étaient laissé séduire par cette idée un peu folle. Elles y avaient cru, mais, au fond d'elles-mêmes, elles avaient toujours trouvé cette histoire improbable.

« Mais alors ? Qui aurait écrit ce livre ? demanda Joséphine.

— J'ai une idée, avoua Rouche.

— Alors, parlez ! pressa Madeleine.

— Très bien, je vais vous dire ce que je pense, mais d'abord, pourriez-vous me resservir un peu de votre délicieux thé au caramel ?

— … »

2

Quand tout le monde avait commencé à parler du phénomène Pick, plusieurs journalistes s'étaient intéressés au destin d'un tel livre refusé par les éditeurs. On chercha à savoir qui n'avait pas voulu des *Dernières Heures d'une histoire d'amour.* Peut-être retrouverait-on la fiche de lecture qui justifiait ce rejet ? Bien sûr, demeurait toujours l'hypothèse que le pizzaiolo breton n'ait jamais envoyé son roman. Il l'aurait écrit sans le montrer à personne, jusqu'au jour où le hasard avait fait qu'une bibliothèque pour livres refusés s'était créée près de chez lui. Il s'était alors décidé à offrir un refuge à son texte. On avait vanté les qualités d'un homme n'ayant jamais cherché la lumière, et c'était une hypothèse plausible. Mais il fallait tout de même vérifier s'il avait envoyé son roman aux maisons d'édition. Et là : aucune trace.

À vrai dire, la plupart des maisons ne conservaient pas d'archives concernant les romans refusés ; à l'exception de Julliard, le fameux éditeur qui avait publié le *Bonjour tristesse* de Françoise Sagan. Au sous-sol, on trouvait la liste de tous les livres reçus depuis plus de cinquante ans ; des dizaines de registres avec des colonnes de noms et de titres. De nombreux journaux envoyèrent des stagiaires éplucher la liste improbable de tous ceux qui avaient été refusés. Aucune mention de Pick. Mais Rouche, guidé par son intuition, avait cherché un autre nom : celui de Gourvec. Avait-il lui-même écrit un livre dont personne n'avait voulu ? Son énergie à créer ce projet de bibliothèque pour refusés possédait peut-être une résonance personnelle. Rouche le pensait, et il en découvrit la preuve : en 1962, en 1974 et en 1976, par trois fois Gourvec avait tenté de publier un roman et l'avait envoyé chez plusieurs éditeurs, dont Julliard. Tous avaient dit non. Ces échecs avaient sûrement représenté une grande douleur, car on ne trouvait plus trace de lui après. Il avait renoncé à être publié.

Quand Rouche avait découvert la trace du roman refusé par Julliard, il s'était renseigné à propos de la succession de Gourvec. Sans enfant, ni biens matériels, il n'avait rien laissé derrière lui. Nul ne saurait jamais qu'il avait écrit. Il s'était probablement débarrassé de tous ses manuscrits ; de tous, sauf un. C'était ce qu'imaginait Rouche. En créant cette bibliothèque, Gourvec avait décidé de s'y glisser dans les rayonnages ; bien sûr, il était hors de question de signer de son nom. Il avait alors choisi la personne la plus anodine de la ville pour le représenter : Henri Pick. C'était un choix symbolique, une façon de matérialiser son texte par une force de l'ombre. Selon Rouche, les choses s'étaient forcément déroulées ainsi.

Gourvec était connu pour offrir des livres à droite à gauche : il était tout à fait possible qu'il ait un jour donné *Eugène Onéguine* à Henri. Le pizzaiolo, n'ayant pas l'habitude qu'on lui offre des livres, avait été touché par ce geste et avait conservé le roman toute sa vie. N'ayant pas le goût de lire, il ne l'avait pas ouvert, et n'avait donc pu constater que certaines phrases avaient été soulignées :

Celui qui vit, celui qui pense
En vient à mépriser les hommes.
Celui dont le cœur a battu
Songe aux jours qui se sont enfuis.
L'enchantement n'est plus possible.
Le souvenir et le remords
Deviennent autant de morsures.
Tout cela prête bien souvent
De la couleur aux discussions.

Ces phrases pouvaient évoquer la fin d'un rêve littéraire. Quiconque écrit a le cœur qui bat. Une fois l'espoir brisé demeure l'amertume de l'inachevé, et mieux : une morsure du souvenir.

Avant de partir sur les traces de Gourvec, Rouche avait décidé de commencer son enquête en trouvant la preuve que Pick n'était pas l'auteur du livre. C'était la première et indispensable étape. Il s'était rendu à Rennes, y avait découvert la lettre. Et voilà qu'il était maintenant à Crozon, chez les Pick, en train de leur expliquer ce qu'il pensait. Il fut surpris de voir la mère et la fille adhérer sans trop de difficulté à son hypothèse. Il fallait aussi prendre un autre élément en considération : toutes deux avaient eu à subir des conséquences déplaisantes ou même dramatiques de cette publication. Elles avaient envie de retrouver leur vie d'avant et se sentaient plutôt soulagées à l'idée qu'Henri n'ait jamais écrit de roman. Plus tard, Joséphine penserait qu'une telle révélation pourrait les empêcher de toucher les droits d'auteur du roman ; mais, à cet instant, seul l'aspect émotionnel importait.

« Vous pensez donc que c'est Gourvec qui a écrit le roman de mon mari ? demanda Madeleine.

— Oui.

— Comment comptez-vous le prouver ? enchaîna Joséphine.

— Comme je vous l'ai dit, je n'ai pour l'instant que des hypothèses. Et Gourvec n'a rien laissé derrière lui, aucun manuscrit, aucune confidence concernant sa passion de l'écriture. Gourvec parlait très peu de lui, Magali l'a bien expliqué en interview.

— Tous les Bretons sont comme ça. Il n'y a pas de bavards ici. Vous n'avez pas choisi la bonne région pour une enquête, s'amusa Madeleine.

— Oui, c'est sûr. Mais je sens qu'il y a quelque chose à comprendre derrière cette histoire. Quelque chose qui m'échappe encore.

— Quoi ?

— Quand j'ai parlé de Gourvec à la mairie, la secrétaire est devenue toute rouge. Et ensuite, elle s'est montrée très froide.

— Et alors ?

— J'ai pensé qu'elle avait eu une histoire avec Gourvec et que ça s'était mal terminé.

— Comme avec sa femme », ajouta Madeleine sans savoir que cette réponse changerait le cours des événements.

3

Il était très tard, et même si Rouche voulait continuer à parler, et interroger notamment Madeleine sur ce qu'elle savait de l'épouse de Gourvec, il sentit qu'il valait mieux remettre au lendemain la suite de la discussion. Exactement comme à Rennes, porté par une excitation immédiate, il n'avait pas prévu d'endroit où dormir. Et cette fois-ci il n'avait même pas de voiture. Par délicatesse, il demanda à ses hôtes si elles connaissaient un hôtel dans le coin ; mais il était pratiquement minuit, et tout était fermé. Il était évident qu'il passerait la nuit ici, mais il se sentait gêné de ne pas avoir anticipé, et de s'imposer d'une manière peu élégante. Madeleine le rassura, ajoutant que c'était un plaisir.

« Le seul problème c'est que le canapé-lit est vraiment en mauvais état. Je vous le déconseille. Il ne reste que la chambre de ma fille, où il y a deux lits.

— Dans ma chambre ? répéta Joséphine.

— Je peux dormir sur le canapé. Mon dos me

déteste déjà, cela ne changera rien à notre relation, ne vous inquiétez pas.

— Non, ça sera mieux avec Joséphine », insista Madeleine, qui semblait déborder d'affection pour Rouche. Elle aimait l'enfant qu'elle voyait encore en lui.

Joséphine guida Rouche, et il découvrit alors deux lits simples. C'était sa chambre d'enfant, intacte, toujours disposée pour les soirs où elle invitait une amie à dormir. Les deux lits étaient séparés par une petite table sur laquelle reposait une lampe à l'abat-jour orange. Dans un tel décor, on imaginait facilement des enfants bavardant une partie de la nuit, se faisant des confidences. Là, il s'agissait de deux adultes du même âge, chacun plongé dans sa couche solitaire, telles deux droites parallèles. Ils se mirent à parler de leurs vies, et la conversation dura un moment.

Quand Joséphine éteignit la lampe, Rouche constata que le plafond était constellé d'étoiles lumineuses.

4

Ils s'éveillèrent quasiment au même moment. Joséphine profita de la pénombre pour s'éclipser vers la salle de bains. Rouche pensa qu'il n'avait pas aussi bien dormi depuis longtemps ; sûrement un mélange de la fatigue accumulée ces derniers jours et du calme régnant dans la maison. Il ressentit quelque chose d'autre en lui, sans être capable de le définir. À vrai dire, il se sentait plus léger que la veille, comme si un poids l'avait quitté. Sûrement le poids de la rupture avec Brigitte. On peut se raisonner, mais c'est toujours le corps qui décide du temps nécessaire à la cicatrisation affective. Ce matin-là, en ouvrant les yeux, il pouvait respirer à nouveau. La souffrance venait de s'enfuir.

5

Pendant le petit déjeuner, Madeleine évoqua la femme de Gourvec. Elle n'était pas restée longtemps à Crozon, mais elle l'avait plutôt bien connue. Et cela pour une raison simple : Marina, tel était son prénom, avait aidé au service à la pizzeria des Pick.

« C'était quand j'étais enceinte, précisa Madeleine sur un ton neutre qui ne permettait pas de déceler le drame qui se cachait derrière ces mots[1].

— La femme de Gourvec a travaillé avec votre mari ?

1. Madeleine avait perdu un premier enfant à la naissance, quelques années avant d'avoir Joséphine.

— Oui, pendant deux ou trois semaines, et puis, elle est repartie. Elle a quitté Jean-Pierre, et est retournée vivre à Paris je crois. Après, elle n'a plus jamais donné de nouvelles. »

Rouche était stupéfait ; il avait pensé que Gourvec avait mis le nom de Pick sur son manuscrit presque par hasard, pour ne pas inventer un pseudonyme. Il découvrait à présent que les deux hommes étaient liés.

« Votre mari l'a donc davantage connue que vous ? continua-t-il.

— Pourquoi ?

— Parce que vous venez de dire que vous étiez enceinte, et qu'elle vous avait remplacée.

— Je ne pouvais plus faire le service, mais j'étais là pratiquement tous les jours. Et c'était plutôt à moi qu'elle parlait.

— Et qu'est-ce qu'elle vous disait ?

— C'était une femme un peu fragile, qui avait espéré trouver enfin un endroit où être heureuse. Elle disait que c'était dur d'être une Allemande en France dans les années 1950.

— Elle était allemande ?

— Oui, mais ça ne s'entendait pas vraiment. Je pense même que les gens ne le savaient pas. Moi, elle me l'avait dit. On la sentait abîmée. Mais je n'en sais pas vraiment plus. Je ne me souviens pas bien.

— Et pourquoi s'était-elle retrouvée ici ?

— Ça avait commencé par une relation épistolaire entre eux. Ça se faisait beaucoup, à l'époque. Elle m'a dit que Gourvec lui avait écrit de si belles lettres. Elle avait alors décidé de l'épouser et de venir vivre ici.

— Il écrivait donc de belles lettres, répéta Rouche. Il faudrait retrouver cette femme et les récupérer. Ça serait crucial…

— C'est si important pour vous de prouver que mon père n'a pas écrit ce livre ? » coupa alors Joséphine sur un ton tranchant qui doucha l'enthousiasme de Rouche.

Il ne sut que répondre. Au bout d'un moment, il balbutia que ça l'obsédait de savoir qui était l'auteur de ce roman. C'était difficile à expliquer. Il s'était senti complètement vide après ce qu'il avait vécu professionnellement. Il avait tenté de faire illusion, de sourire parfois, de serrer des mains d'autres fois, mais c'était comme si la mort prenait progressivement possession de son corps. Jusqu'au moment où cette histoire l'avait réveillé d'une manière irrationnelle. Il était persuadé que quelque chose l'attendait au bout de cette aventure, quelque chose de l'ordre de sa survie. C'était la raison pour laquelle il voulait des preuves, même si tout concordait vers l'hypothèse Gourvec. Les deux femmes furent surprises de ce monologue, mais Joséphine continua :

« Et vous allez en faire quoi de vos preuves ?

— Je ne sais pas, répondit Rouche.

— Écoute ma chérie, reprit Madeleine, c'est important pour nous aussi de savoir. Je suis quand même passée à la télévision pour parler du roman de ton père. Alors j'aimerais bien connaître la vérité avant de mourir.

— Ne dis pas ça maman », dit Joséphine en prenant la main de sa mère.

Rouche ne pouvait pas le savoir, mais ce geste de Joséphine s'était fait de plus en plus rare ces dernières années. Tout comme l'appellation « ma chérie » prononcée par Madeleine. Contre toute attente, les événements récents les avaient soudées. Elles avaient été propulsées ensemble sous la lumière médiatique ; une lumière aux conséquences souvent paradoxales, à la fois heureuses et décevantes, grisantes et insupportables. Joséphine se rangea finalement à l'opinion de sa mère. Rouche allait peut-être apporter une vérité nécessaire à leur apaisement. Il partirait à la recherche de cette Marina qui pourrait sûrement confirmer que Gourvec se cache derrière *Les Dernières heures d'une histoire d'amour*. Et on découvrirait aussi les raisons de leur séparation brutale après seulement quelques semaines de mariage.

6

En début d'après-midi, Joséphine accompagna Rouche en voiture jusqu'à Rennes ; de là, il prendrait le train pour Paris. Quant à elle, elle reprendrait le travail le lendemain matin après plusieurs jours d'interruption.

7

Depuis sa rupture avec Brigitte, Rouche était retourné vivre dans sa chambre sous les toits. Il était seul, ce dimanche soir, dans une pièce exiguë, à cinquante ans, avec de graves difficultés financières, et pourtant il était heureux. Le bonheur est une donnée relative ; plusieurs années auparavant, si on lui avait montré cette vision de son avenir, il en aurait été terrifié. Mais, après avoir traversé la brutalité et les rejets, il voyait un paradis en son taudis.

Avant de partir, il avait demandé une faveur à Madeleine : qu'elle aille à la mairie le lundi matin pour consulter le registre des mariages. En effet, elle n'avait connu Marina que sous le nom de Gourvec. Après sa fuite, il était probable qu'elle ait repris son nom de jeune fille. Sur Internet, Rouche n'avait trouvé aucune trace d'une Marina Gourvec.

Madeleine fut confrontée à la même femme que Rouche avait vue deux jours auparavant. Elle expliqua sa requête, ce à quoi l'employée répondit :

« Mais qu'est-ce que vous avez tous avec Gourvec, en ce moment ?

— Rien. C'est juste que j'ai connu sa femme, et j'aimerais la retrouver.

— Ah bon ? Il a été marié ? Première nouvelle. Je pensais qu'il était contre l'engagement. »

Martine Paimpec enchaîna quelques phrases à propos du bibliothécaire qui ne permettaient plus le doute : ils s'étaient très bien connus. Sans qu'on lui demande rien, elle finit par s'épancher et vider un cœur débordant de regrets. Madeleine ne fut pas surprise : Gourvec était connu pour vivre avec ses livres, et pour n'aimer ni rien ni personne d'autre. Elle tenta de la réconforter :

« Cela n'a rien à voir avec vous. À mon avis, il faut se méfier de tous ceux qui aiment les livres. Moi au moins j'étais tranquille, avec Henri.

— Mais il a écrit un livre…

— Ce n'est pas sûr. Peut-être même que c'est Gourvec qui l'a écrit. Alors franchement, un écrivain qui aurait mis le nom de mon mari sur son livre… quel tordu ! Vraiment pas de quoi le regretter.

— … »

Martine se demanda si elle devait considérer ces mots comme une consolation ; après tout, cela ne servait plus à rien, il était mort depuis longtemps, et elle l'aimait toujours.

*

Après un temps, elle alla chercher l'information désirée, et trouva le nom de jeune fille de Marina : Brücke.

*

Deux heures plus tard, Rouche se contorsionnait dans un coin de sa chambre pour tenter d'avoir le Wi-Fi. Il squattait le réseau de son voisin du troisième étage, mais ne pouvait l'obtenir que sur un tout petit périmètre, en restant collé contre le mur. Il trouva assez vite quelques traces de plusieurs Marina Brücke, mais il s'agissait souvent de profils Facebook, dont les photos affichaient des visages trop jeunes. Il finit par repérer un lien vers le livret d'un disque, sur lequel on pouvait lire la dédicace suivante :

À Marina, ma mère.
Pour qu'elle puisse me regarder.

Le moteur de recherche avait trouvé l'association Marina et Brücke sur cette page. Le disque en question était celui d'un jeune pianiste, Hugo Brücke, qui avait enregistré les *Mélodies hongroises* de Schubert. Ce nom disait vaguement quelque chose à Rouche ; à une époque, il avait aimé assister à des récitals ou aller à l'opéra. Il pensa qu'il n'écoutait plus du tout de musique depuis longtemps, et que ça ne lui manquait pas vraiment. Il chercha d'autres informations à propos de ce Brücke, pour découvrir qu'il se produisait le lendemain en concert à Paris.

8

Le spectacle étant complet, il n'avait pas pu obtenir de billet. Il attendait dans une rue étroite, là où était censé sortir l'artiste. Tout près de lui se tenait une femme très petite dont il était impossible de définir l'âge. Elle s'approcha :

« Vous aussi, vous aimez Hugo Brücke ?

— Oui.

— J'ai assisté à tous ses concerts. À Cologne, l'année dernière, c'était divin.

— Et pourquoi n'y êtes-vous pas ce soir ? demanda Rouche.

— Je ne prends jamais de billet quand il joue à Paris. C'est un principe.

— Pour quelle raison ?

— Il habite ici. Alors ce n'est pas bon. Hugo ne joue pas de la même façon dans sa ville. Quand il est en déplacement, c'est différent. Je m'en suis rendu compte. C'est infime, mais moi je le ressens. Et il le sait très bien, car je suis sa plus grande admiratrice. Après chaque concert, je fais une photo avec lui, mais quand c'est à Paris, j'attends directement à la sortie.

— Vous trouvez donc qu'il joue moins bien à Paris ?

— Je n'ai pas dit "moins bien". C'est juste différent. Au niveau de l'intensité. Et oui, je le lui ai dit, et cela l'intrigue. Il faut vraiment être habité par sa musique pour le ressentir.

— C'est étonnant. Et vous êtes donc sa plus grande admiratrice ?

— Oui.

— Vous savez sûrement qu'il a dédicacé son dernier disque à Marina…

— Bien sûr, c'est sa mère.

— Avec ce mot un peu énigmatique : "Pour qu'elle puisse me regarder."

— C'est très beau.

— Est-ce parce qu'elle est morte ?

— Non, pas du tout. Elle vient parfois le voir, enfin l'entendre. Elle est aveugle.

— Ah…

— Ils ont un rapport fusionnel. Il va lui rendre visite pratiquement tous les jours.

— Elle habite où ?

— Dans une maison de retraite, à Montmartre. Ça s'appelle *La Lumière*. Son fils lui a pris une chambre avec vue sur le Sacré-Cœur.

— Vous m'avez dit qu'elle était aveugle.

— Et alors ? Il n'y a pas que les yeux pour voir », conclut la toute petite femme.

Rouche la regarda en tentant de lui adresser un sourire, mais il n'y parvint pas. Elle voulut lui demander pourquoi il posait toutes ces questions, mais ne le fit pas. Le journaliste avait finalement toutes les informations qu'il recherchait, alors il la remercia et partit.

Quelques minutes plus tard, Hugo Brücke sortit et, une fois de plus, se laissa prendre en photo avec sa plus grande admiratrice.

9

Le lendemain matin, Rouche pénétra le cœur battant dans cette maison baptisée *La Lumière*. Il trouva que c'était un nom symbolique pour conclure une enquête. Une femme à l'accueil lui demanda la raison de sa venue, et il expliqua vouloir rencontrer Marina Brücke.

« Vous voulez dire Marina Gourvec ?

— Euh oui…

— Vous êtes de la famille ? demanda la femme.

— Non, pas tout à fait. Je suis un ami de son mari.

— Elle n'est pas mariée.

— Elle l'a été, il y a très longtemps. Dites-lui juste que je suis un ami de Jean-Pierre Gourvec. »

Pendant que la femme montait voir Marina, Rouche patienta au milieu d'une grande salle où il croisa plusieurs personnes âgées. Elles passèrent devant lui, en lui adressant de petits signes. Il eut l'impression qu'on ne le considérait pas comme un visiteur mais plutôt comme un nouveau pensionnaire.

La femme de l'accueil revint et proposa de le guider jusqu'à la chambre. Une fois arrivé, il découvrit Marina de dos. Elle était assise face à la fenêtre, de laquelle on pouvait effectivement voir le Sacré-Cœur. La vieille femme fit pivoter sa chaise roulante pour se retrouver face à son visiteur.

« Bonjour madame, souffla Rouche.

— Bonjour monsieur. Vous pouvez poser votre manteau sur mon lit.

— Merci.

— Vous devriez en changer.

— Quoi ?

— Votre imperméable. Il est élimé.

— Mais… comment vous pouvez…, balbutia Rouche, incrédule.

— Rassurez-vous, c'est une blague.

— Une blague ?

— Oui. Roselyne de l'accueil me donne toujours un élément concernant mes visiteurs. C'est un jeu entre nous, pour rire. Là, elle m'a dit : "Son imper est complètement élimé."

— Ah… Oui. Effectivement. Ça fait un peu peur, mais c'est drôle.

— Vous êtes donc un ami de Jean-Pierre ?

— Oui.

— Comment va-t-il ?

— Je suis désolé de vous l'apprendre, mais… il est décédé il y a plusieurs années. »

Marina ne répondit pas. On aurait pu croire qu'elle n'avait pas du tout songé à cette hypothèse.

Pour elle, Gourvec était à jamais dans sa vingtaine, et certainement pas un homme qui pouvait vieillir, ou encore moins mourir.

« Pourquoi vouliez-vous me voir ? demanda alors Marina.

— Je ne veux surtout pas vous déranger, mais j'avais envie de recomposer quelques éléments de sa vie.

— Pour quelle raison ?

— Il a créé une bibliothèque un peu particulière, et je voulais vous poser quelques questions sur son passé.

— Vous m'aviez dit être son ami.

— …

— Cela dit, il ne parlait pas beaucoup. Je me souviens de longs silences avec lui. Alors, que voulez-vous savoir ?

— Vous n'êtes restée que quelques semaines à ses côtés avant de revenir à Paris ? Pourtant, vous veniez de vous marier. Personne à Crozon ne connaît les raisons de votre départ.

— Ah oui, personne… J'imagine qu'on a dû se demander. Et Jean-Pierre n'a rien dit, ça ne m'étonne pas. C'est si loin, tout ça, maintenant. Alors, je peux vous dire la vérité : nous n'étions pas un vrai couple.

— Pas un vrai couple ? Je ne comprends pas. Je croyais que vous vous étiez écrit des lettres d'amour.

— C'est ce qu'on a fait croire à tout le monde.

Mais Jean-Pierre ne m'a jamais envoyé le moindre mot.

— ... »

Rouche avait imaginé les lettres enflammées comme autant de preuves de ce qu'il avançait. Cette information le dépitait, même si elle ne changeait rien. Tout concordait toujours, et il demeurait persuadé que Gourvec était bien l'auteur du roman.

« Pas une lettre ? reprit-il. Mais est-ce qu'il écrivait ?

— Il écrivait quoi ?

— Des romans ?

— Dans mes souvenirs, non. Il adorait lire, ça oui. Tout le temps. Il passait des soirées sans lever la tête. Il marmonnait en lisant, il vivait la littérature. Moi, j'aimais écouter de la musique, alors que lui vénérait le silence. Nous étions incompatibles pour cela.

— C'est pour ça que vous êtes repartie ?

— Non, pas du tout.

— Alors pourquoi ? Et qu'est-ce que vous entendez par "faux couple" ?

— Je ne sais pas si je dois vous raconter ma vie. Je ne sais même pas qui vous êtes.

— Je suis quelqu'un qui pense que votre mari a écrit un roman après votre séparation.

— Un roman ? Je ne vous comprends plus très bien. Vous venez de me demander si Jean-Pierre écrivait, alors que vous semblez le savoir. C'est compliqué, votre histoire.

— C'est pourquoi j'ai besoin de votre aide pour comprendre. »

Rouche avait prononcé ces derniers mots avec une grande intensité comme à chaque fois qu'il se retrouvait au cœur de son enquête. Marina avait développé une capacité à entendre les intentions les plus intimes, les plus réelles, et elle admit que son visiteur portait en lui un espoir très fort. Elle décida alors de lui raconter ce qu'elle savait ; et ce qu'elle savait c'était toute l'histoire de sa vie.

10

Marina Brücke est née en 1929 à Düsseldorf, en Allemagne. Elle a été élevée dans l'amour immodéré de sa patrie, et du chancelier. Elle a vécu les années de guerre dans une bulle dorée et joyeuse, entourée de nounous qui remplaçaient ses parents. Ils n'étaient pas souvent là, se rendaient à des réceptions, voyageaient et rêvaient. À chacun de leurs retours, Marina était au paradis ; elle jouait avec sa mère, et écoutait les conseils de son père pour savoir comment se tenir. Leur présence était rare mais précieuse, et chaque soir Marina s'endormait avec l'espoir d'un baiser de ses parents pour traverser la nuit. Mais leur attitude changea radicalement ; ils semblèrent subitement inquiets. À présent, ils croisaient leur fille sans lui prêter la moindre attention. Ils devinrent irascibles, violents, perdus. En 1945, ils décidèrent de fuir l'Allemagne, abandonnant derrière eux Marina, alors âgée de seize ans, à qui voudrait s'occuper d'elle.

On finit par la placer dans un pensionnat tenu par des bonnes sœurs françaises ; les lois du couvent étaient strictes mais pas plus que celles qu'elle avait connues. Rapidement, elle parla un français impeccable, et mit toute son énergie à gommer le moindre accent qui puisse trahir son origine. Par bribes, elle découvrit la personnalité de ses parents, les atrocités qu'ils avaient commises ; traqués comme des chiens, arrêtés, ils purgeaient maintenant une peine de prison dans la banlieue de Berlin. Marina comprit qu'elle était le fruit de l'amour de deux monstres. Pire, ils avaient tenté de lui bourrer le crâne d'ignominies, et elle se sentait sale d'avoir pu être envahie par de telles pensées. Elle se dégoûtait d'avoir été une enfant. L'environnement du couvent lui fournit l'occasion de noyer sa personnalité dans une relation formatée à Dieu. Elle se levait à l'aube, s'adressait à une puissance supérieure, récitait ses prières par cœur, mais elle savait la vérité : la vie n'était que ténèbres.

À sa majorité, elle décida de rester au couvent. À vrai dire, elle ne savait pas où aller. Elle ne voulait pas devenir religieuse ; on lui laisserait ici le temps de trouver un sens à sa vie. Les années passèrent ainsi. En 1952, ses parents obtinrent une grâce, au nom de la reconstruction du pays. Ils vinrent aussitôt voir leur fille. Ils ne la reconnurent pas, elle était une femme ; elle ne les reconnut pas, ils étaient des ombres. Elle n'écouta pas leurs regrets et partit en courant. Quittant définitivement le couvent par la même occasion.

Marina voulut rejoindre Paris, une ville que les sœurs lui avaient dépeinte avec émerveillement, et qui l'avait toujours fait rêver. À son arrivée, elle se rendit dans les bureaux d'une association franco-allemande dont on lui avait parlé. Une petite structure qui tentait comme elle pouvait de créer un lien entre les deux peuples, de proposer des aides. Patrick, un des bénévoles, prit la jeune fille sous son aile. Il lui trouva un travail dans un grand restaurant ; elle tiendrait le vestiaire. Tout se passa très bien jusqu'au jour où le patron découvrit qu'elle était allemande ; il la traita aussitôt de « sale boche » et la licencia sans ménagement. Patrick tenta d'obtenir des excuses de la part du patron, ce qui le rendit furieux : « Et mes parents ? Ils se sont excusés pour mes parents ? » Une telle attitude n'était pas rare. La guerre n'était terminée que depuis sept ans. Vivre à Paris, sans être sans cesse associée à la barbarie, demeurait compliqué. Mais elle ne pouvait pas envisager de retourner en Allemagne. Patrick suggéra alors : « Tu devrais te marier avec un Français, et le problème serait réglé. Tu parles sans accent. Avec des papiers, tu feras une parfaite petite Française. » Marina avoua que c'était une bonne idée, mais elle ne voyait pas avec qui elle pourrait se marier ; elle n'avait pas d'homme dans sa vie ; à vrai dire, elle n'avait jamais eu d'homme dans sa vie.

Patrick ne pouvait pas se dévouer, car il était fiancé avec Mireille, une grande rousse qui mourrait huit ans plus tard dans un accident de voiture. Mais il pensa à Jean-Pierre. Jean-Pierre Gourvec. Un Breton qu'il avait connu au service militaire. Un type un peu particulier, plutôt introverti, toujours célibataire, un original qui passait sa vie dans les bouquins – bien le genre à accepter une telle proposition. Il lui envoya un courrier pour lui exposer la situation, et Gourvec ne mit pas plus de dix secondes à décider de dire oui. Comme son ami du service militaire l'avait anticipé, la tentation était trop grande : épouser une Allemande inconnue, c'était si romanesque.

L'accord fut scellé. Marina irait à Crozon, ils se marieraient, resteraient un peu ensemble et elle repartirait quand elle le souhaiterait. Ils diraient à ceux qui poseraient des questions qu'ils avaient fait connaissance par le biais des petites annonces ; ils étaient tombés amoureux en s'écrivant. Au début, Marina s'était inquiétée. C'était trop simple pour être vrai ; qu'allait vouloir cet homme en échange ? Coucher avec elle ? La transformer en boniche ? Elle traversa la France vers l'ouest avec une grande appréhension. Gourvec l'accueillit sans attention particulière, et elle comprit aussitôt que ses angoisses n'avaient pas lieu d'être. Elle le trouva charmant et timide. Quant à lui, il la trouva incroyablement belle. Il ne s'était même pas posé la question de son physique ; il allait épouser une inconnue sans même avoir demandé une description. Après tout, ça ne comptait pas : c'était un mariage blanc. Mais la beauté de cette femme le saisit par la nuque.

Elle s'installa dans son petit appartement, qu'elle trouva sinistre, et bien trop encombré par les livres. Les étagères lui parurent fragiles. Elle ne voulait pas mourir écrasée sous l'intégrale de Dostoïevski, avoua-t-elle. Une réplique qui fit rire Gourvec ; une manifestation assez rare chez lui. Le tout jeune bibliothécaire prévint ses deux cousins germains (ce qui lui restait de famille) qu'il allait se marier. Le maire leur demanda à tous deux de dire oui. Ce qu'ils firent en jouant un peu la comédie, mais le blanc demeurant une couleur, ils éprouvèrent au cœur un pincement inattendu.

11

Les nouveaux mariés entamèrent leur cohabitation. Assez rapidement, Marina montra des signes d'ennui. Gourvec, client de la pizzeria des Pick, avait constaté la grossesse de Madeleine ; il proposa l'aide de sa femme, et c'est ainsi que Marina travailla comme serveuse pendant quelques semaines. Tout comme Gourvec, Pick n'était pas très bavard ; heureusement, elle pouvait échanger un peu avec sa femme. Elle lui avoua assez vite être allemande. Madeleine fut surprise, cela ne s'entendait pas, mais ce qui l'avait surtout intriguée à l'époque était la mine peu réjouie de la jeune mariée ; il fallait croire qu'elle déchantait d'être venue s'enterrer dans le Finistère. Son regard changeait quand elle évoquait Paris, ses musées, ses cafés, ses clubs de jazz. Il n'était pas difficile de deviner qu'elle repartirait bientôt ; pourtant, elle parlait toujours de Gourvec avec des mots pleins de tendresse, et avoua un jour : « C'est la première fois que je rencontre un homme aussi gentil. »

C'était vrai. Sans être extravagant, Gourvec débordait d'attentions pour sa femme. Il lui avait laissé la chambre, et dormait sur le canapé. Il préparait souvent le dîner, et tentait de lui faire apprécier les fruits de mer. Au bout de quelques jours, alors qu'elle pensait ne pas les supporter, elle se mit à raffoler des huîtres. On pouvait toujours changer, et nos goûts même n'étaient pas irrévocables. Gourvec, c'était un de ses secrets, aimait parfois regarder Marina quand elle dormait ; il était émerveillé par son allure d'enfant sage à l'abri dans ses songes. Marina, de son côté, ouvrait parfois un livre que Gourvec disait aimer ; elle voulait le rejoindre dans son monde, tenter de donner un peu de réalité à leur vie commune. Elle ne comprenait pas pourquoi il ne tentait pas de la séduire ; un jour, elle fut sur le point de lui dire : « Je ne te plais pas ? », mais elle ne le fit pas. Leur cohabitation devenait le théâtre de deux forces antagoniques : une attirance progressive brimée par une distance toujours respectée.

Même si elle ne rêvait que de retourner à Paris, Marina se laissa aller à imaginer sa vie en Bretagne. Elle pourrait rester près de cet homme rassurant, à l'humeur si égale. Elle pourrait enfin mettre fin à ses peurs, à son épuisante recherche de l'apaisement. Pourtant, un jour, elle annonça qu'elle allait bientôt partir. Il répondit que c'était ce qui était prévu. Marina fut surprise par sa réaction qu'elle crut froide, dépourvue d'affection. Elle aurait voulu qu'il lui dise de rester encore un peu. Quelques mots peuvent changer un destin. Ces mots que Gourvec avait au fond de lui mais qu'il fut incapable de prononcer.

Leur dernière soirée fut très silencieuse; ils burent du vin blanc et mangèrent des fruits de mer. Entre deux huîtres, Gourvec demanda tout de même : « Et à Paris, tu vas faire quoi ? » Elle répondit qu'elle ne savait pas vraiment. Le lendemain, elle partirait, mais à cet instant précis elle ne savait plus rien; son avenir lui paraissait aussi brouillé qu'une vision au réveil. « Et toi ? » demanda-t-elle. Il évoqua cette bibliothèque qu'il fallait créer ici. Cela lui demanderait sûrement des mois de travail. Ils se séparèrent sur cette conversation polie. Mais avant de dormir, ils se serrèrent un instant dans les bras l'un de l'autre. Ce fut la première et la dernière fois qu'ils se touchèrent.

Le lendemain, Marina partit tôt en laissant un mot sur la table : « Une fois que je serai à Paris, je mangerai des huîtres et je penserai à toi. Merci pour tout, Marina. »

12

Ils s'étaient aimés, sans oser se le dire. Marina attendit en vain un signe de Gourvec. Les années passèrent et elle finit par se sentir complètement française. Parfois, elle ajoutait avec une pointe de fierté : « Je suis bretonne. » Elle travailla dans le monde de la mode, eut la chance de croiser le jeune Yves Saint Laurent, et s'abîma les yeux à broder pendant des heures les bustiers sophistiqués de robes de haute couture. Elle eut quelques aventures, mais resta plus de dix ans sans avoir la moindre relation sérieuse ; plusieurs fois, elle pensa retourner voir Gourvec, ou au moins lui écrire, mais elle se dit qu'il vivait probablement avec une autre femme. En tout cas, il ne s'était jamais manifesté pour régler les papiers du divorce. Comment aurait-elle pu imaginer que Gourvec ne s'était plus jamais attaché à quiconque après son départ ?

Au milieu des années 1960, elle rencontra dans la rue un Italien. Élégant, joueur, il possédait un charme à la Marcello Mastroianni. Elle venait de découvrir le film de Fellini *La Dolce Vita*, alors elle y vit comme un signe. La vie pouvait être belle. Alessandro travaillait pour une banque dont le siège était à Milan, mais qui possédait des bureaux à Paris. Il devait faire des allers-retours fréquents entre les deux pays. Marina aimait l'idée d'une vie de couple épisodique. C'était une façon pour elle de s'initier à l'amour d'une manière progressive. À chaque fois qu'il venait, ils sortaient, s'amusaient, riaient. Elle lui trouvait l'allure d'un prince tout droit sorti d'un royaume. Jusqu'au jour où elle tomba enceinte. Alessandro devait maintenant prendre ses responsabilités et rester avec elle en France, ou bien elle pourrait le suivre. Il annonça qu'il allait demander une mutation définitive à Paris, et parut fou de joie à l'idée d'avoir un enfant. « Et en plus je suis sûr que ce sera un fils ! Mon rêve ! » Puis il avait ajouté : « On l'appellera Hugo, comme mon grand-père. » Marina pensa à ce moment à Gourvec ; elle devait le contacter pour divorcer. Mais Alessandro était contre toute forme de convention, et considérait le mariage comme une institution dépassée. Alors, elle ne dit rien, et observa son ventre s'arrondir, se remplir de promesses.

L'intuition d'Alessandro fut bonne. Marina mit au monde un garçon. Au moment de l'accouchement, Alessandro était à Milan pour régler les derniers détails pratiques avant sa nouvelle vie ; à cette époque, il était de coutume que les hommes n'assistent pas à l'accouchement ; il arriverait le lendemain, sûrement armé de cadeaux. Mais le lendemain, il se présenta sous une autre forme ; celle d'un télégramme : « Je suis désolé. J'ai déjà une vie à Milan, avec une femme et deux enfants. N'oublie jamais que je t'aime. A. »

Ainsi, Marina avait élevé seule son fils ; sans famille, et sans homme. Et avec le sentiment d'être jugée en permanence. Une mère célibataire était bien mal perçue à cette époque ; on chuchotait sur son passage. Mais cela lui importait peu. Hugo était son courage et sa force. Leur relation fusionnelle était un rempart à tout. Quelques années plus tard, elle commença à voir de moins en moins bien ; elle se mit à porter des lunettes pour corriger sa vue, mais son ophtalmologue parut bien pessimiste. Les examens médicaux démontrèrent qu'elle allait perdre progressivement ses capacités visuelles, et serait aveugle un jour ou l'autre. Hugo, alors âgé de seize ans, songea : si ma mère ne me voit plus, je dois exister d'une manière ou d'une autre dans son esprit. C'est ainsi qu'il se mit à jouer du piano ; sa présence se ferait musicale.

Il travailla avec acharnement, et obtint la première place au concours d'entrée du Conservatoire, à peu près au moment où Marina devenait complètement aveugle. Dans l'incapacité de travailler, elle assistait à toutes les répétitions et concerts de son fils. Au tout début de sa carrière, il avait décidé de prendre Brücke comme nom de scène. C'était une façon de s'accepter tel qu'il était ; c'était son histoire, c'était leur histoire à sa mère et à lui, et elle leur appartenait. Brücke signifiait « pont » en allemand. Marina se rendit compte alors que son existence était composée de morceaux épars, sans connexion réelle, telles des îles qu'on relie artificiellement entre elles.

13

Rouche fut bouleversé par ce récit. Au bout d'un moment, il affirma :

« Je crois que Jean-Pierre Gourvec vous a aimée. Je crois même qu'il vous a aimée toute sa vie.

— Pourquoi dites-vous cela ?

— Je vous l'ai dit : il a écrit un roman. Et je sais maintenant que ce roman a été inspiré par vous, par votre départ, par tous les mots qu'il n'a pas su vous dire.

— Vous le pensez vraiment ?

— Oui.

— Et comment s'appelle son roman ?

— *Les Dernières Heures d'une histoire d'amour*.

— C'est beau.

— Oui.

— Je voudrais tellement le lire », ajouta-t-elle.

Les deux matinées suivantes, Rouche retourna chez Marina pour lui lire le roman de Gourvec. Il le fit lentement. Parfois, la vieille femme lui demandait de répéter des passages. Elle ponctuait cela de quelques commentaires : « Oui, je le reconnais bien là. C'est tellement lui… » Quant à la partie sensuelle, imaginaire, elle pensa qu'il avait écrit ce qu'il avait désiré vivre. Elle qui était plongée dans l'obscurité depuis de si nombreuses années pouvait comprendre cette démarche mieux que quiconque. Elle créait sans cesse des histoires, pour vivre en quelque sorte tout ce qu'elle ne pouvait pas voir. Elle avait développé une vie parallèle finalement proche de celle des romanciers.

« Et Pouchkine ? Vous en aviez parlé ? demanda Rouche.

— Non. Cela ne me dit rien. Mais Jean-Pierre aimait les biographies. Je me souviens qu'il m'avait raconté la vie de Dostoïevski. Il aimait connaître le destin des autres.

— C'est peut-être pour cette raison qu'il a mélangé le réel avec la vie d'un écrivain.

— C'est très beau en tout cas. Cette façon qu'il a de raconter l'agonie… Je ne pouvais imaginer qu'il écrivait aussi bien.

— Il ne vous avait jamais parlé de son rêve d'écrire ?

— Non.

— …

— Et ce roman ? Qu'en est-il advenu ?

— Il a essayé de le faire publier, mais il n'a pas réussi. À mon avis, il espérait revenir vers vous sous la forme d'un livre.

— Revenir vers moi… », reprit Marina avec des sanglots dans la voix.

Saisi par l'émotion de la vieille femme, Rouche avait préféré ne rien dire de la publication du livre pour le moment. Elle ne semblait pas en avoir entendu parler. Il valait mieux qu'elle digère ce qu'elle venait d'apprendre, et la lecture du roman. Au moment où Rouche s'apprêtait à partir, Marina lui demanda d'approcher. Elle lui prit la main pour le remercier.

Une fois seule, elle versa quelques larmes. C'était encore un pont dans sa vie. Cette façon dont le passé avait ressurgi, après des décennies de silence. Toute sa vie, elle avait été persuadée que Jean-Pierre ne l'avait pas aimée ; il avait été généreux, adorable, tendre, mais il n'avait jamais montré le moindre signe de ce qu'il éprouvait. Son roman dévoilait ses sentiments, qui finalement avaient été si puissants, au point qu'il n'avait plus aimé aucune femme par la suite. Elle admettait maintenant qu'elle avait ressenti la même chose. Cela avait donc existé, et c'était peut-être ça le plus important. Oui, cela avait existé. Tout comme les récits lumineux qu'elle formait au cœur de son obscurité. La vie possède une dimension intérieure, avec des histoires qui n'ont pas d'incarnation dans la réalité mais qui pourtant sont vécues.

14

En décidant d'enquêter sur cette histoire dont il avait pressenti le caractère trouble, jamais Rouche n'aurait imaginé vivre autant d'émotions. Mais il lui restait encore quelque chose d'important à accomplir.

Dans son minuscule studio, il dormit une grande partie de l'après-midi. Il fit un rêve dans lequel Marina mangeait des huîtres géantes, qui se transformaient en Brigitte lui criant dessus à cause de la voiture. Il se réveilla en sursaut, et constata que la nuit commençait à tomber. Il prit son ordinateur, et tenta de mettre de l'ordre dans ses notes ; il ne savait pas encore à quel journal il allait proposer son article, peut-être au plus offrant, mais il était certain que le milieu littéraire serait excité par ses révélations. Cela dit, il ne comptait pas remettre en question la bonne foi des éditions Grasset ; à l'évidence, la maison avait cru sincèrement que Pick était l'auteur du roman.

Alors qu'il travaillait depuis presque deux heures, il reçut un message sur son téléphone : « Je suis dans le café en bas de chez vous. Je vous attends, Joséphine. » Sa première réaction fut de se demander comment elle connaissait son adresse, avant de se rappeler qu'il lui avait tout simplement dit où il habitait lors de leur conversation nocturne. Sa seconde réaction fut de penser qu'il aurait pu très bien ne pas être chez lui ce soir-là. C'était tout de même étonnant d'attendre en bas de chez quelqu'un sans même l'avertir à l'avance. Mais il pensa : à ses yeux, je suis le type d'homme qui n'a rien d'autre à faire que d'être chez lui le soir. Il fallait bien reconnaître qu'elle n'avait pas tort.

Il répondit : « J'arrive tout de suite. » Mais cela lui prit plus de temps que prévu. Il ne savait pas comment s'habiller. Non pas qu'il veuille plaire à Joséphine, mais en tout cas il n'avait pas envie de lui déplaire. Au tout départ, dans les interviews, il l'avait trouvée idiote. En la rencontrant au cimetière, il avait aussitôt changé d'avis. Il pensait à tout cela, devant son armoire, alors qu'il s'enfonçait dans son incapacité à choisir. À ce moment précis, il reçut un second message : « Descendez comme vous êtes, ça ira très bien. »

15

Ils étaient maintenant en train de boire un verre de vin rouge. Rouche aurait voulu commander une bière, mais avait finalement suivi Joséphine. Pendant toute sa tergiversation vestimentaire, il s'était laissé aller à rêver qu'elle était venue le rejoindre portée par une pulsion irrépressible. Elle allait peut-être lui avouer avoir des sentiments pour lui.

Ce n'était pas l'hypothèse la plus crédible[1], mais plus rien ne pouvait le surprendre maintenant. Après quelques échanges superficiels, qui leur permirent tout de même de passer au tutoiement, Joséphine en vint à expliquer les raisons de sa présence :

« Je voudrais que tu ne publies pas ton article.

— Pourquoi tu me demandes ça ? Je pensais qu'avec ta mère vous vouliez que la vérité soit reconnue. Que vous en aviez marre de toute cette histoire.

— Oui, bien sûr. On voulait savoir. Et grâce à toi on sait maintenant que mon père n'a pas écrit de roman. Tu ne peux pas imaginer comme on a été chamboulées par toute cette histoire. On a eu l'impression d'avoir vécu à côté d'un inconnu.

— Je comprends. Mais justement la vérité sera rétablie.

— Au contraire, ça va encore agiter tout le monde. J'imagine déjà les journalistes : "Alors, ça vous fait quoi d'apprendre que votre père n'a finalement pas écrit de roman ?" Ça ne finira jamais. Et je trouve ça humiliant pour ma mère qui est passée à la télévision pour parler du roman. Ça serait ridicule.

— Je ne sais pas quoi te dire. Je trouvais que c'était important de dire la vérité.

— Mais ça va changer quoi ? Tout le monde s'en

1. Il y avait longtemps qu'une femme n'avait pas roulé trois cents kilomètres pour le rejoindre sans prévenir ; à vrai dire, cela n'était jamais arrivé.

fout. Que ce soit Pick ou Gourvec. Les gens ont aimé l'idée que ce soit mon père, c'est tout. Laissons les choses comme ça. Et puis, il va y avoir des problèmes.

— Quoi ?

— Gourvec n'a pas d'héritier. Grasset ne nous versera pas les droits d'auteur.

— Ah c'est pour ça.

— C'est *aussi* pour ça. Où est le mal ? Mais je t'assure que, même s'il y avait eu moins d'argent, je t'aurais dit la même chose. J'ai trop souffert de cette histoire, de ses conséquences. Je ne veux plus qu'on en parle. Je veux passer à autre chose. Voilà, c'est ça que je te demande. S'il te plaît.

— …

— …

— Tu sais, j'ai rencontré la femme de Gourvec, reprit Rouche. J'ai vécu un moment très fort avec elle. Je lui ai lu le roman, et elle a compris que Gourvec l'avait vraiment aimée.

— Eh bien voilà, c'était ça, ta mission. C'est merveilleux. Tu dois arrêter là.

— …

— Si tu veux, je te fais un beau cadeau, dit alors Joséphine avec un grand sourire pour détendre l'atmosphère.

— Tu veux acheter mon silence ?

— Tu sais très bien que c'est mieux pour tout le monde. Alors ? Quel est ton prix ?

— Faut que je réfléchisse.

— Dis quelque chose.

— Toi.

— Moi ? Mais ne rêve pas. Je suis beaucoup trop chère. Il faudrait en vendre beaucoup des livres, pour espérer m'avoir.

— Alors… une voiture. Tu m'achèterais une Volvo ? »

La conversation dura encore, jusqu'à la fermeture du café. Rouche s'était laissé convaincre assez rapidement. Il avait toujours pensé que son enquête amènerait un bouleversement dans sa vie. C'était ce qui était en train de se passer, mais pas comme il l'attendait. Il y avait une telle connivence entre eux. Joséphine annonça qu'elle ne savait pas où dormir. Comme lui, elle faisait partie de cette secte de la non-préméditation en termes d'hébergement. Ils montèrent chez Rouche, et il n'eut pas peur du jugement qu'une femme pourrait porter sur son appartement. Ils s'allongèrent côte à côte, mais cette fois-ci dans le même lit.

16

Le lendemain matin, Joséphine lui proposa de l'accompagner à Rennes. Après tout, Rouche n'avait plus rien à faire à Paris. Il pourrait recommencer une nouvelle vie, là-bas, travailler peut-être dans une librairie, ou écrire des articles pour la presse locale. Il aimait cette idée d'un nouveau départ. Ils roulèrent lentement sur l'autoroute, en écoutant de la musique. Au bout d'un moment, ils s'arrêtèrent pour boire un café. En le buvant, ils comprirent qu'ils étaient tombés amoureux. Ils avaient le même âge, et ne cherchaient plus à paraître. Les premières heures d'une histoire d'amour, pensa Rouche. C'était merveilleux de boire ce café imbuvable, dans une station d'essence sinistre, et de trouver qu'aucune situation ne pouvait être plus belle.

ÉPILOGUE

1

Frédéric aimait poser sa tête sur le ventre de Delphine, espérant entendre des battements de cœur. C'était encore trop tôt. Déjà, ils faisaient d'interminables listes de prénoms. Ils allaient avoir du mal à se mettre d'accord, alors l'écrivain proposa un marché à sa femme : « Si c'est un garçon, c'est toi qui choisis. Et si c'est une fille, c'est moi. »

2

Quelques jours après ce pacte du prénom, Frédéric annonça qu'il avait enfin terminé son roman. Jusqu'à présent, il n'avait rien voulu montrer à son éditrice, car il préférait qu'elle découvre le livre dans sa globalité. Avec une certaine appréhension, elle s'empara de *L'homme qui dit la vérité* et s'enferma dans la chambre. Elle en ressortit furieuse à peine une heure plus tard :

« Tu ne peux pas faire ça !

— Bien sûr que je le peux. C'est ce qui était prévu.

— Mais on en a parlé, et tu étais d'accord.

— J'ai changé d'avis. J'ai besoin que tout le monde sache. Je n'en peux plus de me taire.

— C'est allé trop loin. Tu sais très bien qu'on perdrait tout.

— Toi peut-être, mais pas moi.

— Ça veut dire quoi ? Nous sommes deux. On doit décider ensemble.

— C'est facile pour toi. Tu as tout.

— Je te préviens, Frédéric. Si tu décides de publier ce livre, j'avorte.

— … »

Il resta sans voix. Comment avait-elle pu oser ? Mettre en jeu la vie de leur enfant pour contrer leur désaccord. C'était immonde. Elle se rendit compte qu'elle était allée trop loin, et tenta de rattraper le coup. S'approchant de Frédéric, elle s'excusa. Elle lui demanda, radoucie, de bien réfléchir. Il promit de le faire. Finalement, le caractère odieux du chantage qu'elle avait tenté lui fit comprendre à quel point elle avait peur de tout perdre. Et peut-être n'avait-elle pas tort. On la jugerait mal d'avoir ainsi manipulé tout le monde. Pire : d'avoir fait croire à une vieille dame que son mari avait écrit un roman. Sa colère était sûrement justifiée. Mais il devait penser à lui. C'était légitime. N'avait-il pas rongé son frein depuis des mois ? Il n'avait pensé qu'à ça : au jour où tout le monde apprendrait la vérité. Enfin, on saurait qu'il était l'auteur de ce roman qui dominait les ventes. On pourrait toujours lui rétorquer que les gens avaient surtout aimé le roman du roman, ce pizzaiolo qui avait écrit dans le secret absolu ; peut-être que c'était vrai, mais sans son texte il n'y aurait pas eu de roman du tout. Et maintenant, on lui demandait de se taire. Il devait rester caché derrière sa créature.

3

Tout s'était passé si simplement. À Crozon, plusieurs mois auparavant, Frédéric avait accompagné Delphine pour la première fois. Il y avait rencontré ses parents adorables, découvert les charmes de la Bretagne, et chaque matin il était resté dans la chambre pour écrire. Son titre de travail était *Le Lit*, mais personne ne savait réellement quel en était le sujet. Frédéric préférait toujours travailler dans le secret, estimant que la divulgation d'un roman en cours était une façon de l'éparpiller. Il était en train de terminer d'écrire l'histoire de la séparation d'un couple, avec en toile de fond l'agonie de Pouchkine. Il était très enthousiasmé par cette idée, et espérait que ce second roman rencontrerait davantage le succès que le premier ; mais c'était peu probable : à part quelques auteurs, et pas forcément les meilleurs, plus personne ne vendait de livres.

Après une discussion avec les parents de Delphine, ils étaient allés visiter cette fameuse bibliothèque des livres refusés. C'est là qu'il pensa à faire croire que son nouveau roman avait été trouvé ici ; ce serait une idée marketing exceptionnelle. Et, une fois que les ventes auraient décollé, il pourrait annoncer qu'il en était l'auteur. Il partagea son plan avec Delphine, qui le trouva aussitôt génial. Mais selon elle, il fallait incarner le manuscrit par un auteur ; pas un nom inventé ou un pseudonyme, non, il fallait une personne réelle. Cela intriguerait tout le monde. Sur ce point, la suite des événements allait démontrer qu'elle avait eu raison.

Ils se rendirent au cimetière de Crozon, et choisirent un mort comme auteur du livre. Après avoir hésité, ils optèrent finalement pour Pick, car ils aimaient tous deux les écrivains dont le nom comportait un K. Il était mort deux ans auparavant, et ne pourrait pas contredire le fait qu'on lui attribue un roman. Mais il faudrait prévenir sa famille, et lui faire signer le contrat. Avec cet acte, plus personne ne pourrait imaginer une supercherie. Frédéric sembla surpris par ce point, mais Delphine lui expliqua : « Tu ne toucheras pas d'argent sur ce livre, mais une fois que tout le monde saura que tu en es l'auteur, on parlera beaucoup de toi, et il y aura des répercussions sur ton prochain roman. Il vaut mieux jouer le jeu à fond sur ce coup-là. Personne à part nous deux ne doit être au courant. »

Frédéric travailla plusieurs jours pour finir son roman. Selon lui, il était possible que la mère de Delphine soit tombée sur un brouillon de travail intitulé *Le Lit*. Par précaution, il opta donc pour un nouveau titre : *Les Dernières Heures d'une histoire d'amour.* Et changea la typographie du texte, pour en utiliser une qui se rapprochait de celle d'une machine à écrire. Le jeune couple lança une impression du texte, et s'efforça de vieillir le papier, d'abîmer le manuscrit. Une fois cette tâche accomplie, ils retournèrent à la bibliothèque avec ce fameux trésor qu'ils firent mine de découvrir.

Devant la première réaction de Madeleine, et son hésitation à croire à leur histoire, ils pensèrent utile de déposer une preuve. C'est ainsi que, lors de leur seconde visite, Frédéric alla cacher le livre de Pouchkine dans les affaires d'Henri Pick, en prétextant se rendre aux toilettes. Le tour était joué. Mais jamais ils n'avaient anticipé un tel engouement. Cela avait dépassé tous leurs espoirs, et les avait piégés, en quelque sorte. Delphine l'avait compris après le passage dans l'émission de François Busnel. Madeleine avait tant touché les téléspectateurs qu'ils ne pourraient plus rétablir la vérité sans passer pour d'affreux manipulateurs. C'était terrible pour Frédéric, qui devait cacher être l'auteur du livre le plus lu en France, et se contenter de son image de romancier dont même une fille avec qui il avait vécu trois ans ignorait l'unique publication. Exaspéré par les absences de Delphine qui, de son côté, recevait la lumière et la gloire de leur machination, il s'était mis en tête de tout révéler dans son nouveau roman. Il raconterait bien sûr les détails de l'affaire, mais analyserait aussi comment notre société actuelle se focalise beaucoup plus sur la forme que sur le fond.

4

Frédéric avait accepté les excuses de Delphine et admis qu'il les mettrait en danger en révélant la supercherie. Quelques jours plus tard, au début des vacances d'été, ils décidèrent de partir pour Crozon.

Le matin, Frédéric restait au lit pour tenter d'écrire un nouveau roman, mais il avait beaucoup de mal. Il sortait parfois pour se promener seul le long de la mer. Il lui arrivait alors de penser aux derniers jours de Richard Brautigan à Bolinas, sur la côte brumeuse de la Californie. L'écrivain américain ayant de moins en moins de succès et sentant sa gloire décliner avait sombré dans l'alcool et la paranoïa. Il était resté plusieurs jours sans donner de nouvelles à quiconque, pas même à sa fille. Et avait fini par mourir, seul. On avait découvert son corps en décomposition.

Au cours de ce séjour, Frédéric décida d'aller faire un tour à la bibliothèque de Crozon. Là où toute l'histoire avait commencé. Il revit Magali, qu'il trouva différente, sans être réellement capable de dire ce qui avait changé dans son apparence. Elle avait maigri peut-être. Elle l'accueillit avec enthousiasme :

« Ah, bonjour l'écrivain !

— Bonjour.

— Ça va bien ? Vous êtes en vacances ?

— Oui. Et on va sûrement rester ici plusieurs mois. Delphine est enceinte.

— Félicitations. C'est un garçon ou une fille ?

— On ne veut pas savoir.

— Ça sera une surprise alors.

— Oui.

— Et vous avez écrit un nouveau livre ?

— J'avance doucement.

— Tenez-moi au courant. On le commandera ici, bien sûr. Promis ?

— Promis.

— Et tant que je vous tiens, si vous êtes à Crozon, ça vous dirait d'animer des ateliers d'écriture ?

— Je… Je ne sais pas…

— Ça serait une fois par semaine, pas plus. Avec la maison de retraite juste à côté. Ils seraient drôlement fiers d'avoir un écrivain comme vous.

— Ah, je vais y réfléchir.

— Oui, ça serait formidable. Pour les aider à écrire leurs souvenirs.

— D'accord, nous verrons. Bon, je vais faire un tour. Je vais sûrement emprunter un livre.

— Avec plaisir», dit Magali en souriant, comme si on venait de lui faire un compliment.

En songeant à la proposition qu'elle venait de lui faire, Frédéric se dirigea vers les rayonnages. Au moment où son premier manuscrit avait été accepté, il s'était imaginé entouré d'admiratrices, recevant des prix littéraires, peut-être même le Goncourt ou le Renaudot. Il avait aussi pensé qu'il serait traduit dans le monde entier et qu'il voyagerait en Asie ou en Amérique. Les lecteurs attendraient son nouveau roman avec impatience, et il serait l'ami d'autres grands écrivains; il avait pensé à tout cela. Mais il n'avait pas imaginé qu'il en viendrait à aider des personnes âgées à écrire, dans une petite ville du fin fond de la Bretagne. De manière surprenante, cette idée le fit plutôt sourire. Il avait hâte de raconter cela à Delphine; il aimait tant être près d'elle. Et il allait être père. Il se rendit compte, avec encore plus de force maintenant, que cela le rendait fou de joie.

5

Quelques minutes plus tard, il sortit de son sac son manuscrit, *L'homme qui dit la vérité*, et le rangea dans la bibliothèque des livres refusés.

DU MÊME AUTEUR

Aux Éditions Gallimard

INVERSION DE L'IDIOTIE
ENTRE LES OREILLES
LE POTENTIEL ÉROTIQUE DE MA FEMME (Folio n° 4278)
QUI SE SOUVIENT DE DAVID FOENKINOS ?
NOS SÉPARATIONS (Folio n° 5425)
LA DÉLICATESSE (Folio n° 5177)
LES SOUVENIRS (Folio n° 5513)
JE VAIS MIEUX (Folio n° 5785)
CHARLOTTE (Folio n° 6135), prix Renaudot et Goncourt des lycéens 2014
LE MYSTÈRE HENRI PICK (Folio n° 6403)
VERS LA BEAUTÉ

Dans la collection « Livre d'Art »

CHARLOTTE, avec des gouaches de Charlotte Salomon (Folio n° 6217)

Aux Éditions Flammarion

EN CAS DE BONHEUR (J'ai lu n° 8257)
CÉLIBATAIRES, théâtre
LA TÊTE DE L'EMPLOI (J'ai lu n° 11534)
LE PLUS BEAU JOUR, théâtre

Aux Éditions Grasset

LES CŒURS AUTONOMES (Le Livre de Poche n° 32650)

Aux Éditions Plon

LENNON (J'ai lu n° 9848)

Aux Éditions Albin Michel Jeunesse

LE PETIT GARÇON QUI DISAIT TOUJOURS NON, en collaboration avec Soledad Bravi.

LE SAULE PLEUREUR DE BONNE HUMEUR, en collaboration avec Soledad Bravi.

COLLECTION FOLIO

Dernières parutions

6345. Timothée de Fombelle	*Vango, II. Un prince sans royaume*
6346. Karl Ove Knausgaard	*Jeune homme, Mon combat III*
6347. Martin Winckler	*Abraham et fils*
6348. Paule Constant	*Des chauves-souris, des singes et des hommes*
6349. Marie Darrieussecq	*Être ici est une splendeur*
6350. Pierre Deram	*Djibouti*
6351. Elena Ferrante	*Poupée volée*
6352. Jean Hatzfeld	*Un papa de sang*
6353. Anna Hope	*Le chagrin des vivants*
6354. Eka Kurniawan	*L'homme-tigre*
6355. Marcus Malte	*Cannisses* suivi de *Far west*
6356. Yasmina Reza	*Théâtre : Trois versions de la vie / Une pièce espagnole / Le dieu du carnage / Comment vous racontez la partie*
6357. Pramoedya Ananta Toer	*La Fille du Rivage. Gadis Pantai*
6358. Sébastien Raizer	*Petit éloge du zen*
6359. Pef	*Petit éloge de lecteurs*
6360. Marcel Aymé	*Traversée de Paris*
6361. Virginia Woolf	*En compagnie de Mrs Dalloway*
6362. Fédor Dostoïevski	*Un petit héros. Extrait de mémoires anonymes*
6363. Léon Tolstoï	*Les Insurgés. Cinq récits sur le tsar et la révolution*
6364. Cioran	*Pensées étranglées* précédé du *Mauvais démiurge*

6365. Saint Augustin — *L'aventure de l'esprit et autres confessions*
6366. Simone Weil — *Pensées sans ordre concernant l'amour de Dieu et autres textes*
6367. Cicéron — *Comme il doit en être entre honnêtes hommes...*
6368. Victor Hugo — *Les Misérables*
6369. Patrick Autréaux — *Dans la vallée des larmes* suivi de *Soigner*
6370. Marcel Aymé — *Les contes du chat perché*
6371. Olivier Cadiot — *Histoire de la littérature récente (tome 1)*
6372. Albert Camus — *Conférences et discours 1936-1958*
6373. Pierre Raufast — *La variante chilienne*
6374. Philip Roth — *Laisser courir*
6375. Jérôme Garcin — *Nos dimanches soir*
6376. Alfred Hayes — *Une jolie fille comme ça*
6377. Hédi Kaddour — *Les Prépondérants*
6378. Jean-Marie Laclavetine — *Et j'ai su que ce trésor était pour moi*
6379. Patrick Lapeyre — *La Splendeur dans l'herbe*
6380. J.M.G. Le Clézio — *Tempête*
6381. Garance Meillon — *Une famille normale*
6382. Benjamin Constant — *Journaux intimes*
6383. Soledad Bravi — *Bart is back*
6384. Stephanie Blake — *Comment sauver son couple en 10 leçons (ou pas)*
6385. Tahar Ben Jelloun — *Le mariage de plaisir*
6386. Didier Blonde — *Leïlah Mahi 1932*
6387. Velibor Čolić — *Manuel d'exil. Comment réussir son exil en trente-cinq leçons*
6388. David Cronenberg — *Consumés*
6389. Éric Fottorino — *Trois jours avec Norman Jail*
6390. René Frégni — *Je me souviens de tous vos rêves*
6391. Jens Christian Grøndahl — *Les Portes de Fer*

6392. Philippe Le Guillou — *Géographies de la mémoire*
6393. Joydeep Roy-Bhattacharya — *Une Antigone à Kandahar*
6394. Jean-Noël Schifano — *Le corps de Naples. Nouvelles chroniques napolitaines*
6395. Truman Capote — *New York, Haïti, Tanger et autres lieux*
6396. Jim Harrison — *La fille du fermier*
6397. J.-K. Huysmans — *La Cathédrale*
6398. Simone de Beauvoir — *Idéalisme moral et réalisme politique*
6399. Paul Baldenberger — *À la place du mort*
6400. Yves Bonnefoy — *L'écharpe rouge* suivi de *Deux scènes et notes conjointes*
6401. Catherine Cusset — *L'autre qu'on adorait*
6402. Elena Ferrante — *Celle qui fuit et celle qui reste. L'amie prodigieuse III*
6403. David Foenkinos — *Le mystère Henri Pick*
6404. Philippe Forest — *Crue*
6405. Jack London — *Croc-Blanc*
6406. Luc Lang — *Au commencement du septième jour*
6407. Luc Lang — *L'autoroute*
6408. Jean Rolin — *Savannah*
6409. Robert Seethaler — *Une vie entière*
6410. François Sureau — *Le chemin des morts*
6411. Emmanuel Villin — *Sporting Club*
6412. Léon-Paul Fargue — *Mon quartier et autres lieux parisiens*
6413. Washington Irving — *La Légende de Sleepy Hollow*
6414. Henry James — *Le Motif dans le tapis*
6415. Marivaux — *Arlequin poli par l'amour et autres pièces en un acte*
6417. Vivant Denon — *Point de lendemain*
6418. Stefan Zweig — *Brûlant secret*
6419. Honoré de Balzac — *La Femme abandonnée*
6420. Jules Barbey d'Aurevilly — *Le Rideau cramoisi*

6421. Charles Baudelaire	*La Fanfarlo*
6422. Pierre Loti	*Les Désenchantées*
6423. Stendhal	*Mina de Vanghel*
6424. Virginia Woolf	*Rêves de femmes. Six nouvelles*
6425. Charles Dickens	*Bleak House*
6426. Julian Barnes	*Le fracas du temps*
6427. Tonino Benacquista	*Romanesque*
6428. Pierre Bergounioux	*La Toussaint*
6429. Alain Blottière	*Comment Baptiste est mort*
6430. Guy Boley	*Fils du feu*
6431. Italo Calvino	*Pourquoi lire les classiques*
6432. Françoise Frenkel	*Rien où poser sa tête*
6433. François Garde	*L'effroi*
6434. Franz-Olivier Giesbert	*L'arracheuse de dents*
6435. Scholastique Mukasonga	*Cœur tambour*
6436. Herta Müller	*Dépressions*
6437. Alexandre Postel	*Les deux pigeons*
6438. Patti Smith	*M Train*
6439. Marcel Proust	*Un amour de Swann*
6440. Stefan Zweig	*Lettre d'une inconnue*
6441. Montaigne	*De la vanité*
6442. Marie de Gournay	*Égalité des hommes et des femmes* et autres textes
6443. Lal Ded	*Dans le mortier de l'amour j'ai enseveli mon cœur...*
6444. Balzac	*N'ayez pas d'amitié pour moi, j'en veux trop*
6445. Jean-Marc Ceci	*Monsieur Origami*
6446. Christelle Dabos	*La Passe-miroir, Livre II. Les disparus du Clairdelune*
6447. Didier Daeninckx	*Missak*
6448. Annie Ernaux	*Mémoire de fille*
6449. Annie Ernaux	*Le vrai lieu*
6450. Carole Fives	*Une femme au téléphone*
6451. Henri Godard	*Céline*
6452. Lenka Horňáková-Civade	*Giboulées de soleil*

6453. Marianne Jaeglé	*Vincent qu'on assassine*
6454. Sylvain Prudhomme	*Légende*
6455. Pascale Robert-Diard	*La Déposition*
6456. Bernhard Schlink	*La femme sur l'escalier*
6457. Philippe Sollers	*Mouvement*
6458. Karine Tuil	*L'insouciance*
6459. Simone de Beauvoir	*L'âge de discrétion*
6460. Charles Dickens	*À lire au crépuscule et autres histoires de fantômes*
6461. Antoine Bello	*Ada*
6462. Caterina Bonvicini	*Le pays que j'aime*
6463. Stefan Brijs	*Courrier des tranchées*
6464. Tracy Chevalier	*À l'orée du verger*
6465. Jean-Baptiste Del Amo	*Règne animal*
6466. Benoît Duteurtre	*Livre pour adultes*
6467. Claire Gallois	*Et si tu n'existais pas*
6468. Martha Gellhorn	*Mes saisons en enfer*
6469. Cédric Gras	*Anthracite*
6470. Rebecca Lighieri	*Les garçons de l'été*
6471. Marie NDiaye	*La Cheffe, roman d'une cuisinière*
6472. Jaroslav Hašek	*Les aventures du brave soldat Švejk*
6473. Morten A. Strøksnes	*L'art de pêcher un requin géant à bord d'un canot pneumatique*
6474. Aristote	*Est-ce tout naturellement qu'on devient heureux ?*
6475. Jonathan Swift	*Résolutions pour quand je vieillirai et autres pensées sur divers sujets*
6476. Yājñavalkya	*Âme et corps*
6477. Anonyme	*Livre de la Sagesse*
6478. Maurice Blanchot	*Mai 68, révolution par l'idée*
6479. Collectif	*Commémorer Mai 68 ?*
6480. Bruno Le Maire	*À nos enfants*
6481. Nathacha Appanah	*Tropique de la violence*

6482. Erri De Luca — *Le plus et le moins*
6483. Laurent Demoulin — *Robinson*
6484. Jean-Paul Didierlaurent — *Macadam*
6485. Witold Gombrowicz — *Kronos*
6486. Jonathan Coe — *Numéro 11*
6487. Ernest Hemingway — *Le vieil homme et la mer*
6488. Joseph Kessel — *Première Guerre mondiale*
6489. Gilles Leroy — *Dans les westerns*
6490. Arto Paasilinna — *Le dentier du maréchal, madame Volotinen et autres curiosités*
6491. Marie Sizun — *La gouvernante suédoise*
6492. Leïla Slimani — *Chanson douce*
6493. Jean-Jacques Rousseau — *Lettres sur la botanique*
6494. Giovanni Verga — *La Louve et autres récits de Sicile*
6495. Raymond Chandler — *Déniche la fille*
6496. Jack London — *Une femme de cran* et autres nouvelles
6497. Vassilis Alexakis — *La clarinette*
6498. Christian Bobin — *Noireclaire*
6499. Jessie Burton — *Les filles au lion*
6500. John Green — *La face cachée de Margo*
6501. Douglas Coupland — *Toutes les familles sont psychotiques*
6502. Elitza Gueorguieva — *Les cosmonautes ne font que passer*
6503. Susan Minot — *Trente filles*
6504. Pierre-Etienne Musson — *Un si joli mois d'août*
6505. Amos Oz — *Judas*
6506. Jean-François Roseau — *La chute d'Icare*
6507. Jean-Marie Rouart — *Une jeunesse perdue*
6508. Nina Yargekov — *Double nationalité*
6509. Fawzia Zouari — *Le corps de ma mère*
6510. Virginia Woolf — *Orlando*
6511. François Bégaudeau — *Molécules*
6512. Élisa Shua Dusapin — *Hiver à Sokcho*

6513. Hubert Haddad	*Corps désirable*
6514. Nathan Hill	*Les fantômes du vieux pays*
6515. Marcus Malte	*Le garçon*
6516. Yasmina Reza	*Babylone*
6517. Jón Kalman Stefánsson	*À la mesure de l'univers*
6518. Fabienne Thomas	*L'enfant roman*
6519. Aurélien Bellanger	*Le Grand Paris*
6520. Raphaël Haroche	*Retourner à la mer*
6521. Angela Huth	*La vie rêvée de Virginia Fly*
6522. Marco Magini	*Comme si j'étais seul*
6523. Akira Mizubayashi	*Un amour de Mille-Ans*
6524. Valérie Mréjen	*Troisième Personne*
6525. Pascal Quignard	*Les Larmes*
6526. Jean-Christophe Rufin	*Le tour du monde du roi Zibeline*
6527. Zeruya Shalev	*Douleur*
6528. Michel Déon	*Un citron de Limone* suivi d'*Oublie...*
6529. Pierre Raufast	*La baleine thébaïde*
6530. François Garde	*Petit éloge de l'outre-mer*
6531. Didier Pourquery	*Petit éloge du jazz*
6532. Patti Smith	*« Rien que des gamins ». Extraits de Just Kids*
6533. Anthony Trollope	*Le Directeur*
6534. Laura Alcoba	*La danse de l'araignée*
6535. Pierric Bailly	*L'homme des bois*
6536. Michel Canesi et Jamil Rahmani	*Alger sans Mozart*
6537. Philippe Djian	*Marlène*
6538. Nicolas Fargues et Iegor Gran	*Écrire à l'élastique*
6539. Stéphanie Kalfon	*Les parapluies d'Erik Satie*
6540. Vénus Khoury-Ghata	*L'adieu à la femme rouge*
6541. Philippe Labro	*Ma mère, cette inconnue*
6542. Hisham Matar	*La terre qui les sépare*
6543. Ludovic Roubaudi	*Camille et Merveille*
6544. Elena Ferrante	*L'amie prodigieuse (série tv)*
6545. Philippe Sollers	*Beauté*

6546. Barack Obama — *Discours choisis*
6547. René Descartes — *Correspondance avec Élisabeth de Bohême et Christine de Suède*
6548. Dante — *Je cherchais ma consolation sur la terre...*
6549. Olympe de Gouges — *Lettre au peuple et autres textes*
6550. Saint François de Sales — *De la modestie et autres entretiens spirituels*
6551. Tchouang-tseu — *Joie suprême et autres textes*
6552. Sawako Ariyoshi — *Les dames de Kimoto*
6553. Salim Bachi — *Dieu, Allah, moi et les autres*
6554. Italo Calvino — *La route de San Giovanni*
6555. Italo Calvino — *Leçons américaines*
6556. Denis Diderot — *Histoire de Mme de La Pommeraye* précédé de l'essai *Sur les femmes.*
6557. Amandine Dhée — *La femme brouillon*
6558. Pierre Jourde — *Winter is coming*
6559. Philippe Le Guillou — *Novembre*
6560. François Mitterrand — *Lettres à Anne. 1962-1995. Choix*
6561. Pénélope Bagieu — *Culottées Livre I – Partie 1. Des femmes qui ne font que ce qu'elles veulent*
6562. Pénélope Bagieu — *Culottées Livre I – Partie 2. Des femmes qui ne font que ce qu'elles veulent*
6563. Jean Giono — *Refus d'obéissance*
6564. Ivan Tourguéniev — *Les Eaux tranquilles*
6565. Victor Hugo — *William Shakespeare*
6566. Collectif — *Déclaration universelle des droits de l'homme*
6567. Collectif — *Bonne année ! 10 réveillons littéraires*
6568. Pierre Adrian — *Des âmes simples*
6569. Muriel Barbery — *La vie des elfes*

6570. Camille Laurens — *La petite danseuse de quatorze ans*
6571. Erri De Luca — *La nature exposée*
6572. Elena Ferrante — *L'enfant perdue. L'amie prodigieuse IV*
6573. René Frégni — *Les vivants au prix des morts*
6574. Karl Ove Knausgaard — *Aux confins du monde. Mon combat IV*
6575. Nina Leger — *Mise en pièces*
6576. Christophe Ono-dit-Biot — *Croire au merveilleux*
6577. Graham Swift — *Le dimanche des mères*
6578. Sophie Van der Linden — *De terre et de mer*
6579. Honoré de Balzac — *La Vendetta*
6580. Antoine Bello — *Manikin 100*
6581. Ian McEwan — *Mon roman pourpre aux pages parfumées* et autres nouvelles
6582. Irène Némirovsky — *Film parlé*
6583. Jean-Baptiste Andrea — *Ma reine*
6584. Mikhaïl Boulgakov — *Le Maître et Marguerite*
6585. Georges Bernanos — *Sous le soleil de Satan*
6586. Stefan Zweig — *Nouvelle du jeu d'échecs*
6587. Fédor Dostoïevski — *Le Joueur*
6588. Alexandre Pouchkine — *La Dame de pique*
6589. Edgar Allan Poe — *Le Joueur d'échecs de Maelzel*
6590. Jules Barbey d'Aurevilly — *Le Dessous de cartes d'une partie de whist*
6592. Antoine Bello — *L'homme qui s'envola*
6593. François-Henri Désérable — *Un certain M. Piekielny*
6594. Dario Franceschini — *Ailleurs*
6595. Pascal Quignard — *Dans ce jardin qu'on aimait*
6596. Meir Shalev — *Un fusil, une vache, un arbre et une femme*
6597. Sylvain Tesson — *Sur les chemins noirs*
6598. Frédéric Verger — *Les rêveuses*
6599. John Edgar Wideman — *Écrire pour sauver une vie. Le dossier Louis Till*
6600. John Edgar Wideman — *La trilogie de Homewood*

Composition D.Guillaumin
Impression Novoprint
à Barcelone, le 24 avril 2019
Dépôt légal : avril 2019
1er dépôt légal dans la collection : novembre 2017

ISBN 978-2-07-276203-1./Imprimé en Espagne.

358144